The Power of

「24の性格」診断で
あなたの人生を取り戻す

強みの

育て方

ライアン・ニーミック博士
ロバート・マクグラス博士 著
松村亜里 監修

Character Strengths

WAVE出版

The Power of Character Strengths: Appreciate and Ignite Your Positive Personality
by Ryan M. Niemiec and Robert E. McGrath

Japanese translation rights arranged with VIA Institute on Character
c/o Tuttle-Mori Agency,Inc.,Tokyo

本書を以下の人たちに捧げます

私の性格に唯一無二のものを見出してくれた
ダニー・ウェディング

私の性格を支持してくれた
ニール・メイヤーソンとドナ・メイヤーソン

私に自由に本当の自分探しと
自己表現をさせてくれた父と母
（ライアンより）

私に本当の自分でありたいと思わせてくれる
デボラ、ミーガン、ブライアン
（ボブより）

正義の美徳	
社会や集団活動で力になってくれる強み	
チームワーク	善良な市民、社会的責任感、忠実、グループの努力に貢献する
公平さ	正義の原則を守る、感情的になって偏った決断をしない、すべての人に平等な機会を提供する
リーダーシップ	グループをまとめて成功に導く、前向きに人を導く

節制の美徳	
習慣を制御し、行き過ぎがないようにするのに役立つ強み	
寛容さ	憐れみ深い、人の欠点を受け入れる、人にやり直しの機会を与える、不当な扱いをされても気に留めない
慎み深さ	謙虚、黙って成果で示す
思慮深さ	自分の選択に慎重、注意深い、過度のリスクを冒さない
自律心	自制心がある、規律がある、衝動・感情・悪習を制御できる

超越性の美徳	
広大な宇宙と繋がり、意味を与えてくれるのに役立つ強み	
審美眼	美に対して畏敬の念と驚きを覚える、人の技術と優秀さを称え、道徳的な美しさ（他者の善良な行為）に触れて自らも向上する
感謝	人生の良いことに感謝する、感謝の気持ちを表す、恵まれていると感じる
希望	楽観的で前向き、未来志向、最高のものを期待し、それを得るための努力を惜しまない
ユーモア	遊び心がある、人に笑顔をもたらす、楽天的、良い方に考える
スピリチュアリティ	宇宙の崇高な目的と意味について首尾一貫した信念がある、全体での自分の立ち位置を知っている、行動の元となり快適さを与えてくれる人生の意味について信念がある

VIA性格の強みと美徳の分類

知恵の美徳	
知識を集め、活用するのに役立つ強み	
創造性	独創的で柔軟性がある、創意工夫をする、人と違う見方や仕方をする
好奇心	興味をもつ、斬新さを求める、探究を好む、新しい経験を進んで受け入れる
知的柔軟性	あらゆる角度から考える、結論を急がない
向学心	新たな技術や情報の習得に興味がある、体系的に知識を増やす
大局観	賢い、賢明な助言をする、全体像を捉える

勇気の美徳	
自分の意志力で逆境に立ち向かうのに役立つ強み	
勇敢さ	勇猛さを示す、脅威や挑戦に怯まない、恐怖と向き合う、正しいことをはっきり主張する
忍耐力	粘り強い、勤勉、始めたことはやり遂げる、障害を克服する
誠実さ	嘘偽りがない、自分に忠実、誠実、高潔である
熱意	活力がある、人生への情熱がある、元気、精力的、全力投球

人間性の美徳	
一対一の人間関係に役立つ強み	
愛情	愛し愛される、親密な人間関係を大切にする、心からの温かさを示す
親切心	寛大、養育的、思いやり、慈しみ、利他的、人のために何かをする
社会的知性	心の知能指数（EQ）が高い、自分や人の動機や感情への理解度が高い、人の心をくすぐるものを知っている

謝辞

VIA Institute on Character（ＶＩＡ性格研究所、以下ＶＩＡ研究所）について詳しくない方のためにもこの特別な組織について紹介しましょう。

ＶＩＡ性格研究所は、よくある非営利団体ではなく、使命感に溢れ、大きな影響力を持つ類希なる組織として成功を収めています。性格の強みの科学の発展と実用化のための研究に精力を尽くしてきた結果、過去15年間でアクセス数も着実に増加してきましたが、特にこの5年間の増加には目覚ましいものがあります。

世界中から5秒に1度、ＶＩＡのウェブサイト（www.viacharacter.org）にアクセスして「強み」についての情報を入手したり、15秒に1度、このウェブサイトを利用して、ＶＩＡの看板とも言える無料のアンケート調査（正式名称「the VIA Inventory of Strengths」、通称「ＶＩＡ調査票」）に回答し、無料の「性格の強み」についての調査結果を受け取る人がいるほどです。

性格の科学も同時に躍進してきました。少し前までは、研究者が性格について語ることはほとんどありませんでしたが、今日では世界中の研究班が、性格の性質・性格を改善する方法・そして日常生活の中で性格の強みを活用する方法について、５００を優に超える科学出版物を世に送り出してきました。
ＶＩＡ分類の24の性格の強み・ＶＩＡ調査表・それに関連する概念に関する研究を行ってきた結果、ビジネス・教育・コーチング・カウンセリングの分野で性格の原則を応用する実践者のコミュニティが拡大したのです。このように性格の強みを実践している人が世界中にどれだけいるのか、正確な数は定かではありませんが、推定数十万人に上ると考えています。そのような方々、またＶＩＡ研究所の方々の貢献により、本書が現実のものとなりました。ですから並外れたＶＩＡ研究所とそのチームの無私の努力に何よりも感謝したいと思います。

１９９９年にニール・メイヤーソン（ＶＩＡ会長）とマーティン・セリグマン（ポジティブ心理学の創始者）が電話で会話したことが、ＶＩＡの創設と研究の全ての発端となり、本書を世に送り出す第一歩となりました。メイヤーソン夫妻は、何百時間もの時間を割いて、知恵・経験・リーダーシップを共有し、無償でＶＩＡ研究所の成長を支援してくださいました。

また、マニュエル・Ｄ＆ローダ・メイヤーソン財団にも深く敬意を表します。同財団は、ＶＩＡ研究所の設立と初期の活動に資金を提供し、最初の数年間に渡ってＶＩＡが自立するまで研究の継続支援をしてくださいました。

さらに、クリス・ピーターソン氏にも感謝したいと思います。ピーターソン氏は、ＶＩＡ研究所の初代科学ディレクターとして、マーティンとチームを組んで55人の科学者を率い、ＶＩＡの活動の根底にある人格の科学を発見し、この分野の発展に大きく貢献してくださいました。

2012年の彼の死は、ポジティブ心理学の分野にとって大きな損失でした。

また、VIAの中枢的存在のビジネスディレクターのブレタ・クーパー、コミュニケーションスペシャリストのケリー・アルイーズの両氏にも、感謝の意を表したいと思います。両氏が今日のVIAを支えてくださっています。2人の力がなければ、もっと困難を伴っていたことでしょう。本書を実現するためには両氏の存在が必要不可欠でした。このプロジェクトで私たちだけでなく、ブレタとケリーの両氏とも協力してくださったのが、ルース・ピアース氏です。並外れたプロジェクトマネージャーであり、著者でもある同氏が性格の強みについて記した書籍は、大きな助けとなっています。

この本を着想してから印刷に至るまでの作業には、気が遠くなるほど多くの工程や難題があり、協力しながら洞察力を駆使し、考え抜いて決断を下していかなければなりませんでしたが、その過程で皆さんが随所で大きな力になってくださいました。また、出版パートナーであるベサニー・ケリー氏の協力・創造性・助言のおかげで本書を実現することができたことにも感謝します。

多くの方々に本書の草稿をお読みいただき、総括的な論評をしていただきました。ジョセフ・フェルナンド・バチガルポ氏、キャシー・ビチャ氏、クリステン・カーター氏、ジリアン・ダーウィッシュ氏、ダニー・W・フトレル氏、ジュディ・クリングス氏、ヘレン・オドノヒュー氏、リサ・サンサム氏、バーバラ・ウィンウッド氏、シェリル・ザワッキ氏らに感謝の意を表したいと思います。

本書のアイデアが10年ほど前に生まれたのは、元ＶＩＡ事務局長のデブ・ピンガー氏がライアンに「一般向けの読みやすい本が必要ですね」と伝えたことに端を発します。一般読者向けの性格の強みの書籍が必要であるという点では意見が一致したのですが、まだ機が熟していませんでした。何年にもわたって、ジュリー・ウォートン氏のような一般市民やイタイ・イフザン氏のようなポジティブ心理学の分野のリーダーを始めとする多くの方々から、書籍化が必要だという声を聞いていたのですが、それでも機が熟しているとは思えなかったのです。

しかし、ブレタとライアンが「ＶＩＡが提供するサービスや研究の一貫として、一般読者向けにこのような本を提供していきたい」という考えを共有するようになりました。それと時期を同じくして、ボブも全く同じアイデアをニールに持ちかけました。偶然同じ発想が浮かんだだけだったのかもしれませんが、出版の機が熟していることが明らかでした。ここで名前を挙げたすべての方々の参加があったからこそ、10年間という長い時を経て出版が実を結んだことに感謝申し上げます。

最後に、仕事の面だけでなく全般にわたり支援をしてくれた同僚、友人、家族にも感謝の意を表します。

強みの育て方　目次

第3章 ストレングスビルダー（強み養成プログラム）

▽ライアン・ニーミック博士の強みについて

私の原動力になっているのは「愛情」と「希望」という強みです。教鞭を取るときやクライアントや同僚との仕事、そして特に家族と一緒にいるときに、その強みが発揮されます。愛情は私を他の人と結びつけてくれる糧となります。愛情が糧となり、人との絆が生まれ、心を開いて全人類に感謝できるようになります。希望が糧となって、今に感謝し、未来に向けて努力するようになります。私が3人の幼い子どもたちを追いかけ回して、その独特な言動を1つ1つ味わおうとしていると、愛情と希望という強みが特にはっきりと現れてきます。子どもは、電気を消せると「できた！」と言ったり、1人で靴を履きたいと「パパ、あっち行ってて！」と言ったりしますが、私はそんな言葉を聞くのが初めてであるかのように振る舞います。性格の強みを扱う研究の将来の可能性について考える場合、希望のエネルギーがあるからこそ様々な道が開けてきて、色々な強みを使って人の良さを引き出したり、見出したりできるようになります。

私の上位の強みで最も顕著なのは「好奇心」と「誠実さ」でしょう。プロジェクトに没頭していないときの私は、様々な問いを投げかけて、色々なことをしながら、興味の対象となるトピックを探究しています。そんなときの私は常に新しい経験を追い求めたり、新しい場所を旅したり、新しい食べ物を試したり、新しいものを集めたりしているのです。私は野生動物にとても興味があります。同僚から「君は初めて行った国で、ギリギリのところまで動物に近づいて、現地での体験を目一杯楽しもうとするタイプだね」と言われてしまう程です。

誠実さも私にとって欠かせないものです。妻に「出し過ぎ」と言われてしまうことがありますが、それは私が事実を包み隠さず伝えてしまって、余計なことまで喋っていると思われてしまったり、自分をさらけ出し過ぎていると思われてしまうことがあるためです。私に真実を隠し通す知恵がないということではありません。包み隠さず話して真実を伝えるようにしているだけのことなのです。真実を伝えないのは卑怯なことのように思えます。確かに正直になり過ぎてしまうのはリスクを伴いますし、そのせいでばつが悪くなってしまうこともあります。しかし人は真実に対処できる強みを持ち合わせていますので、きちんと真実を伝えなくてはいけないと思っています。そんなところに私の「公平さ」という強みが現れているのです。私の愛情と希望という強みが、できるだけ誠実さと公平さという強みとバランス良く組み合わさり、あまり人に嫌な思いをさせることがなければ良いと思っています。

「審美眼」が私の性格の強みになっていることはあまり周りにも知られていません。外見や運転する車や所持品に現れることがないからです。私の審美眼は、小さなもの、暗い場所、ありふれたものの中にある美しさを発見することで発揮されます。1枚の葉や1匹の昆虫に畏敬の念を抱いたり、テレビ番組で思いやりのある行為を見て涙したり、木の輪郭や空の雲の模様に驚嘆するのが私なのです。

▽ロバート・マクグラス博士の強みについて

初めて自分の上位の強みを知ったときは、割と自分は知的な方だと思い続けてきたので、少し驚きました。ですから「好奇心」が2位でも特に驚きはしなかったのですが、1位が「勇敢さ」、3位が「誠実さ」、5位が「熱意」だったのには戸惑いました。(24の性格の強みで)勇気に関するものは4つあるのですが、そのうち3つが自分の強みのトップ5に入っていたのです。最初は解釈に迷いましたね。

私は自らリスクを冒すタイプではありません。しかし、考えてみると、個人的にも仕事的にも、小さなリスクを何度も冒してきたからこそ人生で成長を遂げられた部分が相当あることがわかります。あまり教育熱心な家庭に生まれたわけではありませんが、幼い頃から心理学者になりたいと決めていた私には、その道を歩むことに何の迷いもありませんでした。私はもともと自分をじっくり見つめてみるような人間ではなかったのですが、「自分には人として努力しなければならないことがある」と気づいてからは、「自分はどんな人間なのか？　どんな人間になりたいのか？」という問いについて、じっくりと考えるようになりました。この探究は40年経った今でも続いていますが、おかげで自分の長所と短所を一層客観的に見られるようになり、人を思いやって共感できるようになったことで、親としても夫としても成長できたのだと思います。

また、自分が仕事で人一倍色んなことをやり遂げようとする人間なのだという自覚が芽生えました。研究対象がたとえ不快なものであったとしても、私はきちんと対処します。
少し前に同僚から「君は最初の一歩を踏み出すのが本当に得意だね。」と言われました。初対面の人であっても連絡を取って、「興味を持ってもらえるはずです！」と声をかけて、プロジェクトへの参加をお願いしたことが何度もあります。それが不思議と功を奏してきました。最近大学の管理者にお詫びをしに行かなければならないことがありました。私が大学で前代未聞のプロジェクトに取り組もうとしたことで、オフィスが厄介な問題を抱えることになってしまったからです。私がお詫びをすると、「先生はいつでも誰よりも先を行っていますよね。もっと先生みたいな人が増えればいいのにって思ってますよ。」という言葉をかけてもらえました。今でも、自分のことを「勇敢」と言うのは大げさだとは思います。自分には誠実さが欠けていると思えることもありました。しかしＶＩＡのおかげで、リスクを冒すことがどれだけ自分の大事な一部になっているのかわかったのです（ただし、リスクを冒すとは言っても慎重な方なので、バンジージャンプはお断りですが！）。

私の上位５つの強みの最後の１つが「自律心」です。自律心があるからこそリスクが報われることになります。これは私が特に誇りに思っているものです。何かをすると決めたら是が非でも実行して信頼を勝ち取っていきます。私の仕事に対する倫理観の核となっている部分です。生徒たちに私の強みを評価してもらったときも、「自律心」が常に上位にランクインしていました。この点では自己評価と他者評価が一致していることになります。

本書の使い方

本書は他に類を見ないものです。あなたの中に眠っている多くの性格の強みについて、最高のものがわかるでしょう。

ウォルト・ホイットマンがかつて述べたように、「性格と個人の強みは、唯一投資する価値のあるもの」です。この本は、自己開発のための具体的なレシピを提供しており、自分の成長や、人助けに役立つ自己開発に時間とエネルギーをかけて取り組めば、必ずや自分の糧となってくれるでしょう。

本書があなたの中に存在する大きな可能性を少しでも引き出す力になることを願っています。今まさに、あなたの可能性が引き出されて自分のためだけでなく、人のためにも使えるようになっていきます。自分のため、そして周りの人のために性格の強みを発揮する方法を身に付けることで、唯一無二の特別な存在になれます。

本書では、理論と実践のバランスを心がけています。読みやすさを期すために、本書を3つの章に分けてあります。第1章では、鍵となる概念・本書の重要性・読者にとっての意義について紹介します。本書の大部分を占める第2章では、科学者が全人類に見出した24の性格の強みについてそれぞれ説明していきます。第3章では具体的に性格の強みを生かす方法について「ストレングスビルダー」という強み育成プログラムに触れながら解説します。これは科学に基づいた実践的な4週間のプログラムで、性格の強みを高めて幸せな人生を送ることを目指すものです。

本書を読破しようとする人は少ないかもしれません。第1章を読んでから、第2章の中で1番興味のある性格の強みについて読み進めても良いでしょう。第2章の中で自分の特徴的強みについて書かれた部分を探して、熟読してみるのも良いかもしれません。特に気になる性格の強みがあれば、それについて学び、質問についてよく考え、自分に重ね合わせてみましょう。本書ではたくさんの課題を紹介していますが、何より大切なことは**本書の課題を実践してみることです。**第2章を何度も読み返して一般的な強みについての理解を深めたり、強みの実践に組み込んでいけるアイデアを習得してください。**24の強みはどれも重要です。それぞれ独自の強みを発揮することで、心身を健やかにし、人間関係を築き、ストレスを克服し、目標を達成していくことができるのです。**

性格の強みについて調べたり、ある程度話し合ったり、エクササイズに取り組んだりした後は、第3章に進み、4ステップの「ストレングスビルダー（強み育成プログラム）」を詳しく見てみましょう。一人よりも、チームメイトや同僚などと一緒に取り組むようにすると一層効果的なので、一緒にプログラムを完成させましょう。交際相手や伴侶、友人、家族と話し合ってみてください。近隣の人と取り組めば、コミュニティの絆が深まります。準備ができたら、行動を起こし、自分が経験した気づきやポジティブな変化についてじっくり考えてみましょう。この過程を、一部でも全体でも構いませんので、好きなだけ繰り返してみてください。

大切なのは、性格の強みという宝物を生涯使い続けて、人と共有していくこと。一人一人が性格の強みを活用し、その力が何倍にもなり、世界がもっと良い場所になっていくことが、私たちの切なる願いです。

本書を読んで、性格の強みが人生という旅の大事な一部になれば、私たちと同じように、あなたも性格の強みの虜になるでしょう。

強みに気づき成長し、強みの使い方がわかるようになり、その力が大きなものとなりますように。あなたの強みが他の人のためになり、人生が幸福で満たされますように。

強みと共にあらんことを。

２０１９年1月　ライアン・ニーミック

ロバート・マクグラス

監修者まえがき

「松村さんはもう少し普通の意見を書くといいですね。」母子家庭で育ち、中卒で、やりたいことがわからないまま入った准看護学校で、看護大学の推薦入試の準備をしていた私に担任の先生が言った言葉です。自己肯定感が低く、自分はだめなところの塊だと感じ生きていた頃。結局、看護士が向いていると思えず、老人ホームで夜勤をして貯めた200万円を片手にNYに留学。そこで驚いたのが、授業中は目立たなかった私が試験でエッセイを書くと、次の講義で先生に呼ばれ、「このエッセイに感動したわ。次の歴史学部のニュースレターに掲載していいかしら?」と依頼されたことでした。

日本にいた頃の私は、普通になろう、皆と同じになろうと頑張って、目立たないように生きていました。ところが、**私の「普通でない」独創的な考えが、NYでは、英語もままならないのに宝物のように扱われた**のです。同様なことがあちこちで起こり、「歴史学者にならない?」「数学者にならない?」と多くの教授にスカウトもされました。

認められ、大切にされる資質は人をどんどん伸ばすのですね。英語力ゼロの私は、その後NYで学びを加速し、最終的には日本で医学博士号を取るまでに。今では自信を持って、創造性という強みを活かし多くの人の幸せに貢献できていると感じられるのは、悩んで飛び込んだNYで、**「強みを見てくれる人が周りにいた」からに他ならないのです。**

一旦は日本に戻り、大学のカウンセラーと心理学者として10年働いた後、2012年に再び夫の都合でNYへ。自分の好きなことを少しでもしようと、ママ友を集めて屋根裏部屋で心理学の講座を始めました。それがNY各地、日本に広まり、現在はオンラインで世界中の方たちに教えています。**自分の人生を振り返ると、そこにはいつも強みがあって、それが使えないときは苦しく、うまく使えるときは楽しく、逆境で強みを使うことで情勢が逆転もしました。**

VIA調査票を知ってからは、大学でも講座でも取り入れ、その効果に驚きました。2019年に開催した初のNYツアー最終日では、「一番良かったことは何?」と聞いたところ、参加していた中高生4名全員が「強みのセミナー」と答えたのです。「えっ?」と耳を疑いました。あんなに様々な体験をしたのに! 私の周りでは共通言語になっていた「強み」が、彼らにはとても遠いものであり、そんなに強みを見てもらっていない社会の中でこの子達は暮らしているのだと、胸が痛んだ瞬間でもありました。

すでに世界で1300万人が受験しているVIA調査票が日本に広まらないのは、日本語に訳された本がないことが大きな理由の1つでした。

著者の1人のライアン博士に、2018年の国際ポジティブ心理学国際会議でお会いしたときに、つい弱みを見てしまう文化的な癖がある日本人にはＶＩＡが特に役立つと思うことを伝えたところ、「これを訳してみたら？」と薦められたのが、本書です。すぐさま、編集者さんにメルボルンから本のカバーの写メとメッセージを送りました。

海外に住んでときどき日本に帰国する多くの方と同様、私も子どもたちも日本が大好きです。勤勉で、責任感が強く、信頼でき、優しく、清潔で、食べ物は美味しく、便利。一方で、その表面的な、落ち着きと、美しさと、豊かさの裏に、幸せでない人たちがたくさんいることも感じています。子どもの自己肯定感は先進国で一番低く、自殺率は世界平均の2倍近く高く、若者の死因は自殺がトップ、大人で仕事を楽しんでいる人は6％に満たないという報告もあります。

これには「弱いところを見つけて直す」という、日本的な考え方が一因となっているのではないでしょうか。私に「もっと普通のことを書くように」と言った担任の先生が、私を心から応援していてくれたように、人間には、愛している相手こそ悪いところを指摘して直してあげようとしてしまう脳の癖があります。でもされる立場の人は、欠点ばかり言われるわけですから、自分はだめな人間だと思ってしまうのは当然のこと。逆に、良いところを伸ばしていくアプローチに変えていくとそのメリットは無限大です。様々な個人や社会の問題の相談を受けるとき、「強みを見たらすべてうまくいきます」と言いたくなるくらい強みは万能薬と言えるのです。

ＶＩＡ調査票は、科学的で豊富なエビデンスに基づいて作られていますが、ある研究では強みを知るだけで幸せは9・5倍、使えるようになると19倍にもなるそうです。家庭や学校で実践すれば、子どものストレスが減り、自己肯定感や成績が上がり、親も幸せになれ、夫婦関係が良くなり、クラスの仲が良くなります。会社で実践すれば、上司と部下の信頼関係構築、チームビルディングに役立ちます。福祉領域では、障害を抱えた子を持つ親のレジリエンス（適応能力）を高めたり、鬱や不安の改善、介護者の燃え尽き予防にも効果があります。

「才能」より、人がもともと持っている「性格の強み」を知ることは、謙虚な日本人に、また今の時代に合っているのではないでしょうか。頑張って何かになろうとしていくより、削ぎ落として、ありのままで、より自分らしく生きていく時代です。人は組織にも、土地にも、時間にも縛られず生きていく。そんなとき、あなたがそこにいるだけで醸し出される強み、それを知り活かすことが、あなたと周りの人たちの幸せに自然と繋がるでしょう。

想像してみてください。すべての人が、強みに注目し、注目され、自分の弱いところを直すことに一生懸命になるのではなく、強みを活かして人の役に立っている社会を。弱みではなく強みに、何かになろうとするのではなくあなたらしく、同じになるのではなく多様に、そんな、人の強みが最大限に活かされる社会を一緒に作っていきませんか。

２０２０年　12月24日　松村亜里

第1章

イントロダクション

はじめに

私たちには誰しも個性があります。程度の差はありますが、皆が**他人から賞賛され、尊敬されるに値する特性が備わっているのです。**このような特性は**「性格の強み」**と呼ばれるものです。あなたの持つ強みの中にはすでに完全に開花していて、人生で強く発揮されているものもあります。眠った状態で注目してもらえるのを待ち受けているものもあります。逆に意識的に注目されないまま長い年月が過ぎ去ってしまったものもあるかもしれません。

今どんな状態にあろうとも、性格の強みはあなたの内面にすでに存在しているものです。

本書は、一般的な性格、特に自分の性格についての学びを深めて、より良い人生を歩んでいきたいと願っている人を対象にしています。どんな要素が組み合わさって自分が尊敬され、愛され、評価されるに値する人間になっているのか。どうすれば自分を自分たらしめているポジティブな要素を使って、ウェルビーイング（幸福度）・人間関係・コミュニティを向上させていけるのか。その方法を学んでいきます。

性格の強みとなるのは、人格の中で賞賛され、尊敬され、重んじられる傾向のあるものです。それは自分を自分たらしめるものとなり、誠実さ、尽くしてくれる、信頼できる人と見られる基盤になってくるものです。

VIA研究所が支援している最近の研究では、人間には24の基本的な性格の強みがあることがわかりました。いずれも分類上、「美徳」と呼ばれる大きなカテゴリーに属しています。このような性格の強みは、人格の中でもプラスの部分で、「親切心」「好奇心」「忍耐力」などの特質から成っており、あなたの**個性を作り上げるのに欠かせないもので、他人や社会全体から評価されるものでもあります。**

本書の巻頭（4ページ）に、24の「性格の強み」とそれぞれが属する6つの「美徳」のリストの一覧を掲載してあります。これは、VIAの**「性格の強みと美徳の分類」**と呼ばれるものです。この強みが、この美徳でいいの？　と疑問に思うことがあるかもしれません。VIA分類の開発時に、研究グループは、強みと美徳の関連性が完全なものではないことを認識しました。ある強みが複数の美徳を反映している可能性もありますし、特定の美徳と明確に結びついている場合もありますから、強みと美徳の関係にとらわれすぎないようにしてください。

強みがどんな分類で、互いに強め合っているか、大まかなイメージを掴んでもらえればよいと思います。

性格の強みとは、人格の中で人から賞賛され、尊敬され、重要視されるもののこと

著名な心理学者クリストファー・ピーターソン氏とマーティン・セリグマン氏率いる50人以上の科学者達の研究班が、普遍的な「人間であることの最強の部分」にあたる資質を様々な国や文化で何年にも渡って探し求めました。その調査の結果、VIA分類が誕生したのです。

その調査は、数万人の調査に加え、マサイ族の暮らすケニアやイヌイットの暮らすグリーンランド北部など、足を運ぶ人があまりいないような場所までにも及び、「性格の強みはそういった文化の中で評価されているのか？」「性格の強みを高める方法はあるのか？」「性格の強みは満足のいく特徴なのか？」といったような質問をしていきました。このようなVIAの先駆者たちのお陰で、性格の強みが人間を人間たらしめていることがわかってきたのです。

研究が盛んになるにつれ、VIA分類の枠組みを理解するための分類体系が明らかになってきました。以下のような枠組みを考えてみましょう。

「美徳」とは、時代・文化・信条を超えて哲学者や神学者が重視してきた特性のことです。「性格の強み」は、広義の知恵・勇気・人間性といった美徳へたどりつくためのルートです。

「性格の強み」は、仕事・学校・地域社会・人間関係といった人生の重要な「場面」で発揮されます。例えば、リーダーシップを発揮すれば、地域のプロジェクトを組織でき、忍耐力を発揮すれば、仕事を成し遂げられます。

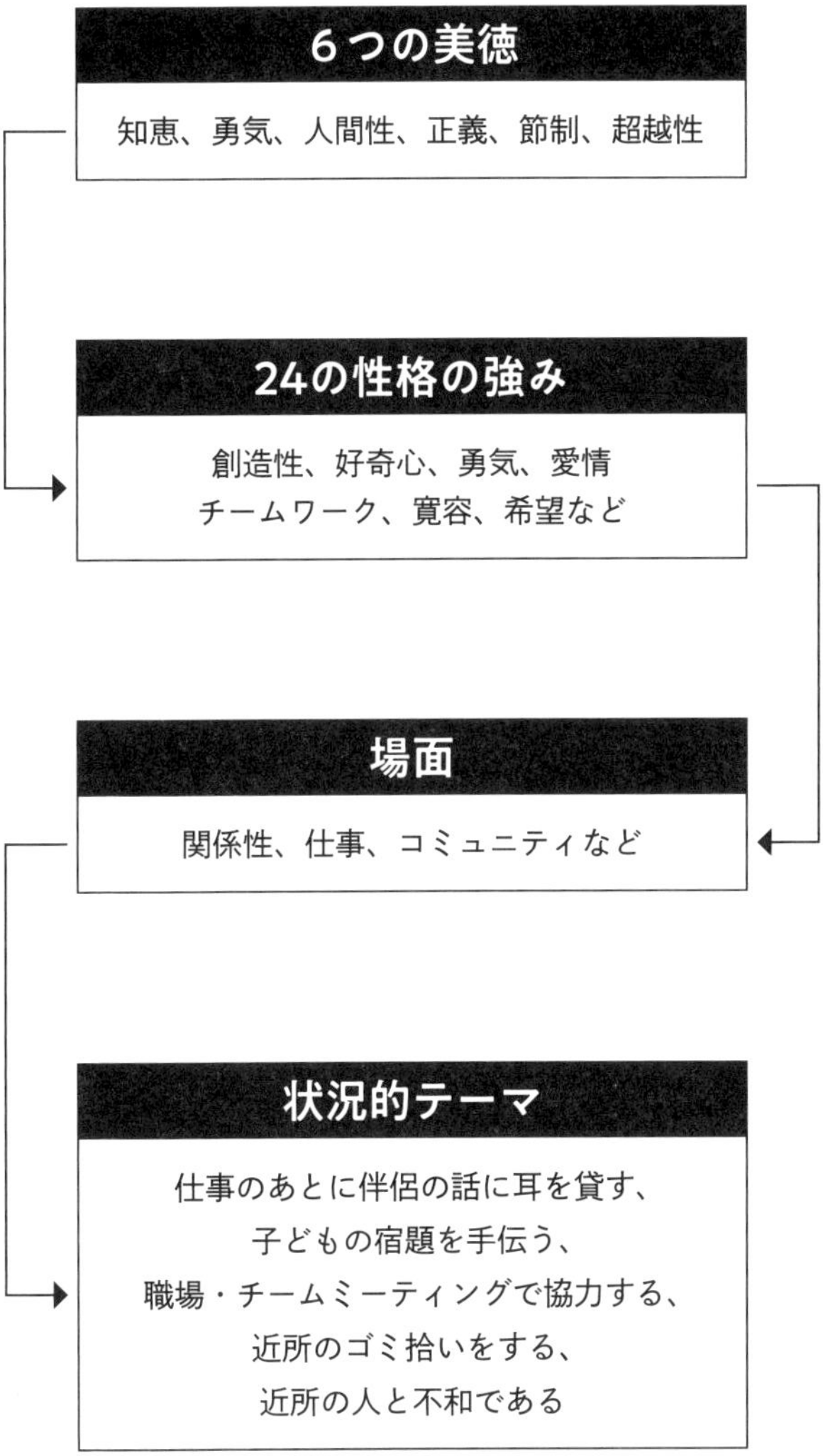
６つの美徳
知恵、勇気、人間性、正義、節制、超越性
24の性格の強み
創造性、好奇心、勇気、愛情
チームワーク、寛容、希望など
場面
関係性、仕事、コミュニティなど
状況的テーマ
仕事のあとに伴侶の話に耳を貸す、
子どもの宿題を手伝う、
職場・チームミーティングで協力する、
近所のゴミ拾いをする、
近所の人と不和である

最後に、どんな状況にも数えられないほどのシナリオ、つまり状況的なテーマが存在し、性格の強みが使われています。仕事の場合を例に挙げると、チームミーティングの時、上司と話している時、顧客の手伝いをしている時に発揮されています。

性格の強みは、私たちのアイデンティティを構成する元となります。思考や行動を通して性格の強みを表現すると、幸福感が高まり、人との絆が深まり、生産性が高まる傾向があるという研究結果が出ています。

性格の強みについて特筆すべき点は、個人の幸福感、人間関係の質、そしてコミュニティ全体に寄与するという点です。例えば、好奇心があれば、新しいアイデア・人・場所の探究に役立ちます。チームワークがあれば、プロジェクトで協力して力を合わせることの有り難みがわかります。そして、勇気があれば、自分の殻を破って、自分や人の意欲をかき立てることができるのです。

性格の強みが集まって、美徳というもっと大きなカテゴリーになります。

性格の強みは他の強みとは違います。音楽やバスケットボールができる、空間認知能力や文才がある、といった才能も強みになりますが、性格的なものではありません。才能は性格と比べ先天的な要素が強く、変えにくいと言われています。

性格の強みを発揮するというのは、興味を持ったり情熱を感じたりして話題に夢中になったり行動することとは異質のものです。

コンピュータやプレゼンテーションのスキルのようなものを習得することとも違います。そういったものは確かに重要で、我々の役に立ちますが、自分のアイデンティティについて考える場合には、それほど重要ではありません。対照的に、**性格の強みは、人間としての私たちの存在「Being《ビーイング》」と、私たちの善行「Doing《ドゥーイング》」を反映しています。**

また、強みを6つの美徳に分類するのではなく、頭脳の強みと心の強みに分類する方法もあります。

頭脳の強みは分析的・理論的・思考的で、知的柔軟性・思慮深さ・公平さ・向上心・大局観などが含まれます。

心の強みは、主に感情・直感・情緒に関係するもので、例えば親切心・愛情・ユーモア・感謝・スピリチュアリティといったようなものが挙げられます。どの強みにも頭と心の両方の要素が含まれているため、1つのカテゴリーにしか属していないとは一概には言えません。このようなカテゴリー分けは、あくまで頭と心のうちでどちらの方が強くなる傾向があるのか示したものです。どちらも様々な才能を発揮していくために必要不可欠ですが、一般的には心の強みの方が幸福感と満足感との結びつきが強いと言えます。

▽なぜ性格の強みが大切なのか？

この問いを理解しておくのは大切なことです。まず、ハンナの経験を通し、この質問に答えてみましょう。

ハンナは2人の子どもを持つ中年の既婚女性です。過ぎ去っていくばかりの人生を自分ではどうすることもできないという無力感に打ちひしがれていました。

ファッションデザイナーとして働いていましたが、自分の仕事は退屈で無意味だという気持ちを拭い去れずにいました。2人の息子はハンナが大切にしていた母子の絆にはほとんど関心がなく、日に日に自立するようになっていました。夫との親密さは失われ、慌ただしい生活を送る中で家庭生活にはすれ違いが生じていました。

常にハンナはふさぎ込んだ気分で、不安に襲われたり、気が散ったりすることがあり、自分の人生から切り離されたような気持ちになってしまうことが多かったのです。ただ流されて生きているだけだと感じていました。突然母親を亡くしてからの数年間は、絶えずそんな状況でした。ハンナにとって唯一の救いは、月に数回、親友たちとコーヒーを飲む機会があったことです。

ある日、ラテを飲んでいると、友人から「VIAテストっていうのを受けてみたらどう？　自分の長所がわかるから。」と提案されたハンナは、「もう自分のことはわかってるから。」と返事をしました。それでも友人たちは諦めませんでした。最初は乗り気でなかったハンナですが、仲間の説得に負けて、「わかった。それじゃあ受けてみるね。」と別れ際に約束したのです。

その日の晩、ハンナは約束通りオンラインVIA調査を受けて、性格の強みを判定してみることにしました。あまり期待はしていなかったのですが、何気なく結果をプリントアウトしてみました。しばらくして印刷したものに目をやると、自分の上位の性格の強みが目に入ってきたので、熟読してみることにしました。

ハンナは自分の「親切心」「感謝」「誠実さ」「好奇心」「ユーモア」といった性格の強みを1つずつ読んでいきました。「これが私なの？」興奮と驚きと好奇心が入り混じって、思わず声が出てしまうほどでした。ハンナは、性格の強みの説明を読んで、一瞬考えました。ハンナが大事なことに気づいたのは、まさにその瞬間のことでした。「私は自分の人生を取り戻したい！　取り戻したいんじゃなくて、絶対に取り戻してみせる。その方法がわかったんだから！」

そして、ハンナは、自分の性格の強みを通して、自身の人生と世界を見つめるようになりました。台所に自分の強みを貼り出して、強みを観察し、議論し、思い出し、振り返るきっかけにしたのです。

上位にある性格の強みの目線を通して、人と交流するようになりました。夫との会話をするたびに、親切心と誠実さを第一に考えました。長年の夫婦関係についての自分の思いや考えを穏やかに語って、夫と共有できるようになったのです。

仕事が順調だとは言い難かったハンナですが、軽妙なユーモアを使って同僚と接するようになりました。

好奇心が原動力となって、新しいデザインを探究したり、上手くいくものと上手くいかないものを吟味するようになり、同僚や顧客の意見を何でも鵜呑みにするようなことがなくなりました。服をデザインして人を幸せにできる能力に感謝して、人に喜んでもらえるにはどうしたらいいのか考えるようになりました。

特に2人の息子には、誰よりもユーモアと感謝の気持ちを忘れずに、敬意を持って時間をかけて接するように心がけたのです。タイミングをうまく見計らって、息子たちに長所があることや、成長して自立してきていることについて、冗談を言ったり感謝の気持ちを伝えられるようになりました。

これらの5つの強み（＋19の強み）はどれも、ハンナの中に常に存在していたものです。そういった強みは、彼女が**受け身で生きている間はただ麻痺していて、休眠状態で、使いこなせていなかっただけなのです。**自分の最高の強みをもっと意識的に使いこなすというのは、ハンナには思いもよらないことでした。しかし夫・息子・同僚とコミュニケーションをする中で、自分の性格の強みを活性化するようになると、**その後の数週間で彼女のエネルギーは高まっていき、**人生を取り戻すという目標を見事に達成していったのです。

数カ月後、ハンナの変化は傍から見ても明らかでした。好奇心旺盛な質問をしたり、感謝の気持ちを言葉にして表現したり、よく笑ったり、率直で誠実な態度で会話をしたり、他人を思いやる行動を取るようになっていたのです。

ハンナの人生は一変しました。2年後、ハンナの強みはキッチンの同じ場所に残っていましたが、そこに夫と2人の息子の強みも貼り出すことにしました。性格の強みを知ることで、ハンナ自身にも周りの大切な人たちにも、目に見えて良い影響がありました。自分の性格の強みに注目して熱意を失わないようにすることで、ハンナは周りの人たちの性格の強みにも気づいて感謝できるようになりました。このようなハンナの影響で、周りの人たちも自分の性格の強みが起爆剤となり、感謝できるようになっていったのです。

どうして性格の強みは大切なのでしょうか？　ハンナの例にも含まれている2つの観点からこの問いについて詳しく見てみましょう。

物事が順調な場合には、性格の強みを活かせば、自分や周りの人の最高の長所が見えてきます。**順調でない場合には、性格の強みを使えば、抱えている問題のバランスを取って、ネガティブなものからポジティブなものへと焦点を切り替えていけます。**問題ではなく強みについて考えることで、自分を非難し過ぎることがなくなります。美しいものや素晴らしいものへの畏敬の念を持つことで、身の回りにある素晴らしいものに気づけます。状況を改善する方法が見つかります。これらのポジティブで、美徳に溢れ、バランスが取れた健全な行動を取るきっかけになります。

視点を是非心に留めておいてください。

ポジティブさを強化する

ポジティブな目線で物事を見れば、性格の強みの重要さがわかるでしょう。研究でも、肉体的・心理的・感情的・社会的・精神的な領域で性格の強みを利用すると、良い成果がたくさん生まれることがわかっています。性格の強みの利点は、多くの業界で実証済みです。ビジネスや教育を中心にヘルスケア・コーチング・心理療法・カウンセリングなどの分野でも実証済みなのです。性格の強みは幸福度のそれぞれの構成要素に良い影響があります。プラスとなるのは、具体的にはポジティブな感情・エンゲージメント（活動への積極的な関与）・意味や目的・良い人間関係・達成などです。

性格の強みは、自己受容・自律性・目標達成・身体的健康・情熱・レジリエンス（適応能力・回復力）などの他の多くの利点と結びついて人生のポジティブな部分を強めてくれるのです。最新の研究では、強みを高める手法の方が、欠点を修正する手法より効果が高いことがわかっています。しかもポジティブなものに焦点を当てても、ネガティブなものを無視することにはなりません。

ネガティブさから学び、立て直せる

人間の思考には多くのバイアスがかかっていることが研究でわかっています。例えば、ポジティブな出来事よりもネガティブな出来事の方が記憶に残り、影響力も大きくなる傾向があるのはその1つです。問題が生じてネガティブな気持ちになると、それが糊のように執拗に付きまとってくるのです。

しかし、性格の強みを活かせば、ネガティブな経験が勝ってしまうような状況でバランスを保てます。その経験から学び、モチベーションを高め、注意力を高め、成長に繋げていくためにもネガティブな経験は必要です。

ですが、ネガティブな体験は自分の本当の姿を映し出す鏡ではありません。強みについてじっくりと考えると、ネガティブな経験から距離を取れます。この先同じ経験をしないように自然で最善な方法がわかるようになり、自分にはネガティブな状況に対処できるだけの強みが備わっているということに気づけるのです。

このようなネガティブさが一番表に出るのが職場です。研究によると、大抵の人が自分の仕事を楽しめていません。受け身で日常業務をこなすだけで、持っている生産性を発揮できていない人が多いのです。しかし同時に、性格の強みを仕事で最大限に発揮するようにすると、職場での幸福度や生産性が高まり、仕事に熱中できることもわかっています。

性格の強みで特筆すべきは、幸福の主要な要素と繫がっていること

研究では、性格の強みを活かせば、問題に効率的に対処できることもわかっています。例えば、性格の強みを使うと、ストレスが減り、職場での対応力が高まり、教室でのいざこざが減り、鬱が緩和され、体の症状が改善していきます。これは性格の強みを発揮して得られる利点の一例に過ぎません。

誰でも自分についてわかっていない部分があることを最後にお伝えしておきます。自分のことを完璧に理解している人はいません。自分については、知らないことの方が多いのです。周りの人のほうが自分のことを理解してくれていることさえあります。そんな場合に性格の強みを使えば、自分について理解できていなかった部分が見えてきます。

▽共通の言葉

こんな場面を想像してみてください。ある部屋に入ると色々な人たちが入り乱れていて、誰も互いに言語的なコミュニケーションも非言語的なコミュニケーションも取れません。人から人、テーブルからテーブルへと歩いて回っても、誰とも気持ちが通じ合えないのです。周りの人が言っていることが何一つわかりません。何か共通点があるはずなのですが、それが一体何なのか見当もつきません。自分と周りの人たちには溝がありますが、その橋渡しになってくれるものは何

もない状態です。どんな気持ちになりますか？　混乱？　イライラ？　疎外感？　蚊帳の外？　そんな気持ちでしょうか？

性格の強みで、より効果的に問題に対処できる

21世紀になったばかりの頃、人の一番の強みを語るための「共通の言語」はありませんでした。美徳やポジティブな資質について書かれた本はありましたが、そういった本は特定の宗教や文化、特に西洋文化の美徳に焦点を当てたものであることが多かったのです。

心理学の分野が本腰を入れて「人間の強みとは何か？」という問題に取り組むようになったのはその頃でした。その結果、２００４年に「性格の強みと美徳のＶＩＡ分類」が発表されたのです。史上初めて、人類は最高の自分について語り合うための共通の言語を手に入れたのです。

今では、同じ母国語を話すように、同僚の勇敢さや忍耐力を言葉にできます。子どもの創造性と親切心を育てられます。社会的知性を意識的に使って恵まれない人に救いの手を差し伸べられます。感謝と希望を活用して自分の糧となるものを得られるようになっています。ＶＩＡ分類が開発されたことで、何百もの研究への道が開かれ、世界中の科学者が毎月のように新しい発見をし、性格の科学を進歩させられるようになりました。

この研究によって、心理学・コーチング・教育・ビジネスをはじめとする分野の何千人もの専門家が、性格の強みに関する新発見を使って、クライアント・学生・社員の最高の長所を引き出そうとしています。

▽唯一無二のあなた

性格には複数の側面があります。故クリストファー・ピーターソン博士は、性格の強みとポジティブ心理学について15年以上にわたり研究し大きな功績を残しましたが、その中で「性格に複数の側面があること以上に重要な研究成果はない」と述べています。「誠実さや高潔さのような概念を1つだけ当てはめたところで、性格を捉えることはできない」という意味です。人には様々な性格の強みがあり、大抵の場合複数の強みを同時に使っているのです。

性格は細かく分析することができます。自分の性格を構成する要素を、上位・中位・下位に属するものに緻密に分析可能なのです。VIA強み調査（科学的に有効性が認められているVIA性格研究所が提供する無料の強みテスト）VIA強みテスト）を受けると、強みが1位から24位まで分析された検査結果を受け取ることになります。様々な要素が織り成す自分の性格が明らかになるのです。

人と同じ分析結果にならないのがこのテストの面白いところです。24の性格の強みの組み合わせは、6千垓《がい》（垓は京の万倍の単位）通り、つまり600,000,000,000,000,000,000,000通りありますので、人と全く同じ分析結果になる可能性はほとんどありません。

独特なのはそれだけに留まりません。24の強みは誰もが持っているものですが、1つ1つの強みの表現の仕方は人それぞれ違います。

自分独自の強みの表現が、自分独自の人間性を映し出しているからです。さらに、人生の様々な場面では複数の性格の強みが組み合わさって表現されますが、状況によって表現の仕方が変わってきます。例えば、スポーツイベントのような状況で熱意が高まっても、葬儀場のような場所では熱意が低まります。

このように、性格の強みというのは、単純に「善悪」や「有無」に分けられるものではなく、**状況次第で増えたり減ったりしながら使われるもの**なのです。「有無」（あるかないか）というアプローチは、医学的問題や精神障害を診断する時に使われる標準的な方法です。

歳とともに血糖値が一定のレベルに達すると、糖尿病と診断されます。落ち込んだり、楽しい活動に参加する意欲がなくなったり、睡眠・食事・集中力に問題が出てくると、鬱病という診断を受けることになります。これが「有無」の状況です。

対照的に、性格の強みは「程度」の問題です。質問攻めにしてくる友人が、「好奇心旺盛な人」ということにはなりませんし、母親だからといって、「愛情に溢れた人」ということにはなりません。24の強みを全て使いこなせて、過ちを全く犯さない「良い人」や「完ぺきな人」もいませんし、強みがゼロで、欠点しかない「悪い人」もいないのです。

人間というのはもっと複雑で揺れ動くものです。好奇心と愛情を非常に強く表現する人もいますが、常にそうしているわけではありません。同じ人でも好奇心や愛情を抑えてしまうこともありますし、他の性格の強みを発揮していくこともたくさんあるのです。

独自性が何より発揮されるのが、自分の「特徴的強み」です。

「特徴的強み」はＶＩＡ分類の大事な要素で、自分の性格の強みの中で一番強く表に出てくるものです。上位５つの性格の強みの組み合わせは５１０万通りにも上ります。この自分の代名詞とも言える強みに何よりも注目する必要があるでしょう。大きな可能性を秘めているからです。

特徴的強みは自分にとって何より大切な強みになってくれる可能性が高く、アイデンティティを構成する要素の中で1番大事な役割を果たします。

ＶＩＡ研究所は、特徴的強みに共通する3つの要素を見出しました。

「肝心」「簡単」「活力」の「3Ｋ」です。

肝心

この強みはアイデンティティの核になると実感できるでしょう。審美眼が特徴的強みになっている人は、ただ美を愛するだけではありません。美を追求していくことが**自分のアイデンティティの一部になっているのです。**

簡単

性格の強みは自然と労力要らずで発揮されるものです。例えば努力しなくても好奇心や親切心が自然と湧き出てくる人がいます。**そのように自然と湧き出てくる感覚こそが、特徴的強みの何よりの判断基準になる**ということが最近の研究でわかっています。

活力

強みを使うとエネルギーが増加し、気分が高揚します。幸せな気持ちになり、心の調和がとれて、もっと色々なことに挑戦したい気持ちになっていくのです。

研究では、ＶＩＡ調査を受けた人たちが、24の性格の強みの中で平均5つくらいを、自分の特徴的強みだと考えていることがわかりました。

自分の上位の性格の強みを探究していきましょう。家庭・職場・人間関係・コミュニティで強みを新しい方法で発揮する方法を見つけていきましょう。そのような強みを発揮することが、「本当の自分であること」に繋がるのです。

ＶＩＡ分類の研究では、**24の性格の強みはどれも重要だとよく言われます。強みには全て利点があります。どの強みが自分の特徴的強みになっていても構いません。大事なことは、どのような強みでも、理解し、探究し、使用していくようにしていくことです。**例えば自分にとって一番の強みであってほしかった勇敢さが24位という調査結果が出ると、悔しい思いをするかもしれません。調査結果で上位でないとされた強みを高めようとしても構いませんが、まずは自分の上位の強みに気づき、それを探究・評価・表現する方に時間を割くほうがおすすめです。

その後で、中位や下位の強みを引き出す方法を考えて、高めていくようにするアプローチをおすすめします。状況によっては、自分の中下位の強みが、いわゆる**「状況的強み」**の役割を果たすことがあります。

状況的強みは、自分の中で中心的な強みになってはいなくても、状況によっては大きな力を発揮してくれます。意を決して立ち上がらなければならないような状況で、そのような中位や下位の強みが大きな力になってくれるのです。

例えば、勇敢さが下位の強みになっていても、敵に囲まれて孤立無縁の状態の中で自分の主張を伝えなければならなくなると、勇敢さを状況的強みとして使うことになるかもしれません。

普段は親切心が下位の強みでも、街で苦しんでいる人を見かけたら、すぐに思いやりのある行動に出て、自分の時間とお金を使って救いの手を差し伸べるのなら、親切心を状況的強みとして使っているかもしれません。

上位のものでも、状況的強みとしてしか使わないような中位や下位のものでも、24の性格の強みはどれも、人や自分の人生に良い影響を与えてくれます。すべての強みが重要な役割を果たしてくれるということを忘れないでください。

▽成長の種

性格の強みは伸ばすことができます。過去10年間の人格心理学の研究成果で、「性格を含めた人格は変われる」という興奮すべき発見がありました。

性格は長期間変わらない傾向がありますが、様々な要因で変化することもあります。結婚したり、子どもが生まれたり、人生での役割が変わったことがきっかけになることもあります。自然災害や虐待などの経験からトラウマを抱えてしまったりするなど、予期せぬ出来事が起こって変化が生じることもあります。さらに介入して変えることもできます。自分が持っている様々な性格の強みが「種」のようなものだと考えてみましょう。

いろんな色や大きさの24粒の種を見つけた場面を想像してみましょう。何が咲くのかわからないまま、種を全部並べて撒いてみます。全部がきちんと太陽を浴びて、土から栄養をもらって、水分を摂れるようにしていきます。きちんと世話をしていても、すぐに芽が出てくるものもあれば、中々出てこないものもあります。やがて、美しい花を咲かせるものもあれば、枝が縦に伸びて葉が生茂る高木になるものもあり、横に伸びた枝がむらがって頑丈な低木になるものもありま す。ただずっしりとしているだけの地味なものもあります。どれもきちんと世話してあげることが大切です。**元々持っているものや環境だけで育ち方が決まるわけではなく、世話の仕方次第で変わってくるからです。そして、それぞれが景観に貢献するように、人格を形成するのです。**

性格の中には、目に見えて成長し、咲き誇って、友人や家族に簡単に気づいてもらえるようになるものもあります。そのように目立つ強みに隠れて、生い茂る木の下で必死に育とうとしている花のように、中々日の目を見ない強みもあります。自分の性格の強みの中には、何カ月も、何年も、眠った状態で人目に触れず、評価されないままのものがあるのです。

トゲの多い薔薇の茂みのように、鋭い強みもあります。水分がなく萎れている植物の様に弱々しく見えるものもあります。しかし、**どんな強みであっても、「世話すれば育つ」という言葉を忘れずにいてください。**ポジティブな特質は自分で育てることができるのです。

自分の強みは当たり前のものと思いがち

自分の性格の強みを当たり前のものだと思ったり、見落としてしまいがちです。しかし実際には、私達はその強みを小さな方法でたくさん使い、それが人生にとって大きな力になってくれているのです。

多くの研究者が、**「大きな強み」と「小さな強み」**の発揮の仕方について語っています。例えば、「大きな創造性」は、ゴッホの「星降る夜」のように、巨大な影響力を持つもので、「小さな創造性」は、交通渋滞を回避して帰宅する道順を考えるような場合に発揮されます。

同様に、**「大きなリーダーシップ」**は、市長や大統領が市民を鼓舞して影響力を与えるような場合に見られ、**「小さなリーダーシップ」**は、４人の仲間のために楽しい夜の集いを企画するような場合に発揮されます。

本書では、「小さな」性格の強みの活用に焦点を当てているため、24の性格の強みについて、以下の表で例示しています。ちなみに、**「小さな」というのは、「取るに足らない」とか「小さすぎて価値がない」という意味ではありません。むしろ「小さな」性格の強みを発揮することが、自分のため、人のため、世のために、大きな貢献をしていくきっかけになります。**

性格的強み	強みの「小さな」使い方の活用例
正義の強み	
チームワーク	職場の同僚がプロジェクトの仲間だと感じられるようにする
公平さ	パートナーと互いに納得できる方法で衝突を解消する
リーダーシップ	グループに目標達成の方法を示す
節制の強み	
寛容さ	小さな侮辱を受けても悪口を返さずに見過ごす
慎み深さ	自分が人のためになることをしても言いふらさない
思慮深さ	怒っても爆発せずに抑える
自律心	乗り気でなくても運動する
超越性の強み	
審美眼	前から好きだった絵や音楽に、新しく美しいものがあることに気づく
感謝	小さな贈り物に、心の底から感謝する
希望	ストレスを感じる状況でも、ポジティブな結果が待っていると考える
ユーモア	冗談を言って、空気を和ませる
スピリチュアリティ	愛する人と過ごした尊くて意義ある時間を振り返る

性格的強み	強みの「小さな」使い方の活用例
知恵の強み	
創造性	新しいファッションコーディネートを試す
好奇心	ネットで何か興味のあるものを探す
知的柔軟性	悪影響だと思う人を見極めて避ける
向学心	政治や社会問題に関する長文エッセイを読む
大局観	自分が打ちのめされていても、他にも大変な人がいることを忘れない
勇気の強み	
勇敢さ	少し怖いと思うことでもやってみる
忍耐力	興味をもてない作業に戻る
誠実さ	間違ったことは認める
熱意	日々の中でワクワクすることをみつける
人間性の強み	
愛情	身近な人に今まで気が付かなかったポジティブな面があることに気づいて感謝する
親切心	通りすがりの人を褒める
社会的知性	人が言葉にする前に、考えを汲み取る

このような性格の強みの知識やスキルが増えれば、人生の中でもっと強みを発揮していきたくなります。自分にも他人にもすぐに影響を与えられる部分が見つかることもよくあります。影響を持続させていくには継続的に実践していくことが大切です。

本書では、ポジティブな影響を与えて持続させていくための事実・例・アイデア・実践方法を紹介していきます。本書の情報を活用して、行動を起こして、自分の強みを新たな高みへと成長させていきましょう。

▽始めてみよう

自分の性格の強みについて学び、理解を深めていくために、まずできることが2つあります。1つは、「他人の強みを見つける」ことに慣れ親しんでいくことです。もう1つは、VIA調査を受けて結果をよく理解することです。ここではその両方に焦点を当てていきます。どちらも大きな効果があるものです。

人の強み探し

若い女性が「大きな力をもらったと感じています！　強みって至る所にあるんですね！」と24の性格の強み（VIA調査が完了したときに受け取れる強みの診断結果のリスト）を振りかざしながら言いました。

この女性は「24の強みの言葉を持ち歩いたり意識したりしておけば、自分の探し求めているものが見えてくる」ということに気がついたのです。強みの言葉をきちんと理解すれば、大小の強みが人生の色々な場面でどうやって発揮されるのか、気づくことができます。

24の強みを経験することは、視界が開けて、新しい内なる扉を開けるようだと表現する人がいます。このようなポジティブな資質を心に留めておけば、映画やテレビの見方が変わり、SNSでの様々な人の発言の捉え方が変わってくるでしょう。読む本や雑誌の登場人物の強みに気づくかもしれません。そして、家族、友人、同僚、家族以外の子ども、隣人、あなたの出会う新しい人々との関係の中で、会話の中に強みを見つけることができるでしょう。どこに行っても、感謝できる強みとなるでしょう。

今すぐ強み探しを始めましょう！

強みを見極めるには2つの簡単なステップがあります。

STEP1　観察や会話の中で気づいた性格の強みを、分類してみましょう（本書の冒頭にある24の性格の強みのリストと定義を参考にしてください）。

目の前で起こっていることには、どんなポジティブな特質がありますか？　どんな性格の強みを表す言葉を使ったら、目の前の場面を一番うまく表現できますか？　例えば、映画の登場人物が、意を決して危険な状況に飛び込んで行ったら、「勇敢さ」に分類します。読んでいる本の中で、若い男性が、朝起きて笑顔でベッドから飛び起きる場面が出てきたら、「熱意」に分類するといった具合です。

STEP2 性格の強みがどうやって発揮されているのか描写してみましょう。

強みに関連している行動は何ですか？　自分が選択した「性格の強み」を選んだ理由は何ですか？　観察を裏付ける証拠は何ですか？　例えば、自分の伴侶が隣人と深い会話をしているのを観察した後に、こんなことを伝えるかもしれません。「お隣さんと素敵な会話をしていたね。質問をしたり、色んなことを話題にしてたから、好奇心をたくさん使っていると思ったよ。それから、社会的知性があるとも思ったよ。相手が抱えてる問題に共感していたし、会話の中で自分から話をしたり、相手の話を聞いたりして、うまくやりとりをしてたからね。」一つの関わりの中に複数の強みを見出せるのがわかると思います。

2番目のステップで使った例を見ると、3番目のステップがある可能性も明らかになってきます。様々な状況、特に親しい人間関係に関わる状況では、**「強みに対する感謝」を表してみる**のも良いかもしれません。これは、人が発揮している強みに価値を見出して、自分を含めた周りの人たちに大きく貢献してくれていることを、本人に伝えていくものです。「なぜこの人が性格の強みを使うことが、周りの人たちや自分にとって重要なのか？」と自問してみましょう。

今すぐ強み探しを始めてみましょう。24の性格の強みと定義のリストを、常に手元に置いておきましょう。次に誰かと会話をしたり、テレビを見たり、ツイートを読んだりしたら、「相手や登場人物が表現している性格の強みは何？」、「自分の観察の根拠は何？」といった問いに答えてみるのです。日常生活の様々な場面でこの方法を使うと、強み探しの技術が身に付き、24の性格の強みについての理解が深まり、性格の強みが人生に貢献してくれることがわかってきます。

24の性格の強みは全て重要です
すべての自分の中にあり、育てることができるもの

ＶＩＡ調査を受けてみましょう。強み探し以外にも、強みを見つける方法があります。ＶＩＡ研究所のウェブサイト（www.viacharacter.org）で受けられるＶＩＡ調査票と呼ばれるものです。これは科学的な検証済みの性格の強み診断を無料で受けられる、世界でただ1つのオンラインテストです。15分で性格の強みを包括的に診断し、24の強みを自動的にランク分けしてくれます。その結果、自分独自の強みの診断結果が受け取れるのです。その無料の強み診断表を印刷して、本書を読む際の参考にしてください。

これまでお話ししてきたように、24の性格の強みはどれも大切なものです。どれも自分の中に存在し、自分で育んでいくことのできる資質です。診断表全体を見ると、自分の中位や下位の強

みに改善の余地があると感じるかもしれません。しかし、繰り返しになりますが、最初は、自分の上位の強み、つまり自分の特徴的強みに注目することをおすすめします。

その理由は「本当の自分」を何より映し出しているのが特徴的な強みだからです。特徴的な強みは一番高めやすく、良い時でも悪い時でもすぐに発揮していけるものになっています。生活の中で特徴的強みをもっと使うようにすると、様々なメリットがあることが報告されています。

本書を読み進める際には、自分の「特徴的強み」がすぐにわかる状態にしておくことをおすすめします。自分の最高の資質を理解して探究していきたいという思いで、まず第2章の中でも自分の特徴的強みの説明を読んでから、第3章で更に理解を深めていきたいという人もたくさんいると思います。

次ページに自分の強みを書き留めておくためのスペースを設けてあります。VIA研究所の研究では、人には約5つの特徴的強みがあることがわかってきました。これをベースにして最高の強みについて考えていくことになります。しかし自分にとって**「肝心」**で、**「活力」になり、「簡単」に使える「3K」の強み**がわかってきたら、自由に特徴的強みを追加してみてください。

特徴的強み

特徴的強み #1：＿＿＿＿＿＿＿＿＿＿＿＿＿＿＿＿＿＿＿＿

特徴的強み #2：＿＿＿＿＿＿＿＿＿＿＿＿＿＿＿＿＿＿＿＿

特徴的強み #3：＿＿＿＿＿＿＿＿＿＿＿＿＿＿＿＿＿＿＿＿

特徴的強み #4：＿＿＿＿＿＿＿＿＿＿＿＿＿＿＿＿＿＿＿＿

特徴的強み #5：＿＿＿＿＿＿＿＿＿＿＿＿＿＿＿＿＿＿＿＿

自分の特徴的強みや人の強み探しについて理解できるようになってきましたか。

では、第2章に進んで、24の性格の強みをそれぞれ詳しく見ていきましょう。強みは全て自分の性格の一部で、ポジティブなエネルギーに溢れていて、自分と周りの大切な人たちに恩恵をもたらしてくれる可能性を秘めていることを忘れずに！

第2章

24の性格の強みを探究しよう

▽24の強みのガイド

What（何？）、Why（なぜ？）で、How（どうやって？）。この3つを24の性格の強みに当てはめていきます。まず、このセクションの学習事項の概要を見てみましょう。

強みについて知っておくべきこと

このセクションでは、それぞれの強みの基本的な構成要素とその意味といったような基本について学習していきます。

本章を使って、強み、強みを構成する様々な要素や、強みが最高の状態のときにどう発揮されるかについて理解して下さい。

強みが大切な理由

このセクションでは、科学的にそれぞれの性格の強みがどのように実証されているのかについて学びます。ここで扱うのは以下の内容です。

- なぜこの特定の強みが大事なのか？
- なぜこの強みを使うのか？

・この強みを日常的にバランス良く使うと、人生でどんな結果が期待できるのか?

また、「なぜ」を突き詰めていくことで、それぞれの強みが持つ力への理解が深まっていきます。どの強みにも他にない利点がたくさんあります。そのような利点を知ることで、特に自分の中にある強みへの理解が深まっていくのです。

強みを強化する方法

このセクションを**4つのパートに分けて、性格の強みを人生の軸にする方法を説明しています。以下の4つのパート（振り返ろう、強み探し、行動しよう、バランスを取ろう）**に関して、1人でも他の人とでも実践できるエクササイズを提供していきます。

振り返ろう

自分を見つめ直したり、分析したりすると、自分の性格が見えてきます。性格の強みごとに、色々考えたり、日記に書いたり、人と話し合ったりする元になる質問を色々用意してあります。その質問をきっかけにして自分を見つめ直すと、自分の強みが過去の経験と繋がっていることがわかります。そんな質問について1人で考えたり、人と話し合ったりする時間が多いほど、「なるほど、そういうことだったのか!」と思えて、気持ちが高ぶることも多くなります。そうやって自分についての理解が深まれば、新たな成長が始まり、自分の人生を大きく変える第一歩になります。

「振り返ろう」のセクションは、それぞれの強みが持っている意外な強みを探究するのに使って下さい。質問の後で数秒でも一度止まることで、記憶し、考えて、想像できるようにしてみて下さい。

強み探し

性格の強みを使ったり高めたりする上で、人間観察がとてつもなく大きな力になってくれることが、研究でわかっています。そのためには、ロールモデル（模範となる人）やメンター（良き師）の行動に注目したり、強みを実践している人の話を聞いて、自分に結びつけていきましょう。幼い頃から周りの人を観察することで、大事なことを学んできたはずです。

人の行動を観察することで、脳が情報を取り込んで記憶する形になり、将来必要になったときに役立てていけます。

職場で創造力に溢れる人たちに囲まれていると、そこから斬新な方法を色々学んで、様々な問題について考えて解決したり、新しいアイデアを出せるようになったりします。

家庭で親切な人に囲まれていると、その情報（親切心・寛大さ・心遣い・慈しみ・思いやりなどを実践するための方法）が、脳内にインプットされます。そのうち自分が家族の思いやりのある行動を真似するようになっていくこともあります。もちろん、見ても身に付かないものはあります。必ずしも観察した行動をそのまま実践できるわけではありません。

この「強み探し」のセクションでは、人から学ぶことの利点を理解していきましょう。そのために、性格の強みを日常的に使っている人たちの好例を紹介していきます（本人のプライバシーはきちんと保護してあります）。

登場する人たちの例が、他の様々な強みを使っていることは言うまでもありませんが、1つの例につき1つの強みしか扱いません。

しかし、あるAという強みに注目している場合でも、Bという強みが同じくらい発揮されている場合もあるのです。**たくさんある強みを別々に使うのではなく、同時に色々使っているということは忘れないでください。**ここでは、行動に触れるだけでなく、ロールモデル（模範となる人）があなたの人格形成にどうやって関わっているのか示していきます。

この「強み探し」のセクションでは、例に登場する人の知恵から学んでいきます。本人が自身の言葉で綴った経験談を読んで、性格の強みが人生にどんな影響を与えたのか見ていきましょう。その人独自の経験に耳を傾けて、どうやったら同じ性格の強みを自分の人生で表現していけるのか、考えてみてください。

行動しよう

何より具体的な方法がわかると、実際に行動に移せるようになります。性格の強みを日常生活の中で実際に使えるようにするために、強みごとに具体的で実践的な方法を7個～10個示してあります。そのような方法の中には、実証されていたり、研究に基づいているものもあれば、常識となっているものもあります。

どの方法も、色々な人に共通する人間関係・職場・コミュニティの分野を提示してあります。4番目の「自分自身」のカテゴリーでは、性格の強みを自分に向けて使えるようにしていきます。

何百もの研究で、年齢・職業・性別を問わず、仕事・学校・社会生活・親密な人間関係を始めとする人生の様々な所で、性格の強みが役立つことがわかっています。

さらに、親切心・寛容さ・大局観といったような人に向けて表現することが多い強みを、自分にも向けることが大事だということもわかってきています。

例えば、親切心を自分に向けてセルフコンパッションを高めたり、寛容さで自分を許していくといったような形です。この方法で幸福度を高める効果があることがわかっています。

「行動しよう」というセクションを活用して、強みに気づいたり、応用でき、感謝できるようになりましょう。最初に取り組む方法を1つ選びます。それを使ったエクササイズを1人でするのか人とするのか決めてください。行動を起こしたら、自分の経験や人の経験を観察してみましょう。

バランスを取ろう

自分の性格の強みを行動で表現しても、必ずしも成功したり、高い評価を得たり、与えられた状況で最善な選択をしたことになるわけではありません。

強みを状況に合わないくらい発揮してしまい、思いがけず人に迷惑をかけてしまうこともあります。良い格好をしようとしたり、努力を惜しんだり、注意を怠ったり、自分を偽ったりして、自分の強みを使い切れないことのほうが可能性が高いかもしれません。

人への共感や配慮が足りないと思われてしまったり、興味がなさそうと思われてしまったりすることもあります。このような強みを出し過ぎたり、逆に出し切れていないことに気づけるようになると、ゆくゆくは、性格の強みを上手く使えるようになって、自分だけでなく周りの人にも良い影響を与えられるようになるのです。

強みの出し過ぎは理解しづらい場合もあるので、日常的な実例を挙げて説明していきます。強みを出し過ぎたり、逆に出し切れていないような場面がどんな形で表に出るのか説明した後で、性格の強みをバランスよく使っていく方法をさらに提案していきます。これは太古の昔より**「黄金律」**や**「中庸」**と呼ばれてきたものです。

強みの出し過ぎ、発揮できていないようにならずに、間を取って最大限に活用していくにはどうしたらいいのか、強みごとに考えていきましょう。そのために、強みごとに一文のモットーを付けてあります。強みの出し過ぎ・発揮不足・ベストな出し方に関する研究から生まれたものです。続く**「想像してみよう」**という項目では、強みの活用法や状況に合わせた使い方を探ることができます。

この項目には、それぞれ軸になっている性格の強みがありますが、それだけでなく他の性格の強みも加味しています（例えば、研究に基づいた軸となるAという強みには、Bという強みが強く相関している場合などです）。

「これさえやれば性格の強みを最大限に発揮できたり、出し過ぎ、発揮できてない場面を避けられる」という特効薬はありません。

性格の強みという概念について理解を深めて、様々な実例から色々学び、そこから人生について考える術を色々身に付けていくより他ないのです。そうやって学びを深めれば、もっと楽に、もっと自信を持って、性格の強みを使いこなせるようになっていきます。

「バランスを取ろう」の項で、性格の強みを高いレベルで使えるようになりましょう。

まず最初に、あなた自身の強みが、発揮不足や出し過ぎになっていないかを確認してください。

強みの発揮不足や出し過ぎは時に、微妙で捉え難い形になっていることもあるでしょう。程度が大きい場合は、自他ともに悪影響を及ぼすかもしれません。**強みのバランスが取れていない場合には、自分に正直になるだけでなく、自分に優しくするように心がけましょう。**

このエクササイズは、自分を責めるのが目的ではありません。自分についての理解を深め成長するのに役立てていくのが目的です。自分を客観的に見つめ直すことは、強みを最大限に活かすために大切なのです！

次に、特定の状況でどうやったら性格の強みを最大限に活かすことができるのか考えてみましょう。

これは、状況や一緒にいる人によって使い方がかなり変わってくるかもしれません。「想像してみよう」のシナリオを、どうやったらバランスの取れた性格の強みの使い方ができるのか、どうやったら他の強みと併用できるようになるのか考えてみましょう。

VIA・6つの美徳

知恵の美徳

知識を集め、活用するのに役立つ強み

VIAの分類では、**「知恵の美徳」は、得られた知識を効果的に使って問題を解決していくこと**と関連づけています。「知恵」と「知性」には関連性がありますが、この2つは別物です。

生まれつき頭の良い人もいます。だからと言って、世の中について考える学びを深めることや、自分の考えを疑って本当に正しいのか、間違っているのかということについて考える努力を惜しまなくていい訳ではないのです。努力を怠ると、頭脳明晰な人でも、自分の犯した過ちから学んだり、自分の思い違いを正したりする機会を逃してしまうことも少なくありません。

知恵の強みが高い人というのは、たとえ自分の間違いを受け入れなくてはならないとしても、学習意欲が備わっているために意欲的に世の中について学ぼうとします。

知恵というのは、世間でより効果的に活用できるように、世の中のしくみを理解するということなのです。

知恵の特に大事な側面として、いわゆる**「実践知」**が挙げられます。実践知は古代ギリシャ人から伝わる古典的概念で、達成したい目標を明確にし、最善の方法でその目標を達成する力のこ

とをさします。

つまり、自分の目標を達成していくために、他の強みをどう効果的に使うか知るという意味でも、知恵が必要不可欠な訳です。自分の強みを使って社会に貢献するという意味でも、知恵が大事になってきます。

知恵という美徳に繋がる強みには、「創造性」「好奇心」「知的柔軟性」「向学心」「大局観」があります。

VIA・24の性格の強み

創造性 ―CREATIVITY―

創造性について知っておくべきこと WHAT WHY HOW

創造性とは、新しい方法で物事を行っていけるようにすることです。独創的なアイデアや行動を生み出すことも創造性の一部ではありますが、ただ独創的なだけでは足りません。アイデアが浮かんだり製品を生み出したりしても、色々役立てたり応用できなければ、創造性があるとは言えません。例えば、独創的なブログを書いても、戯事《たわごと》を並べただけのものなら役に立つこともなく、創造的とは言えないのです。

他の強みと同様に、創造性にも程度の大小があります。偉大な科学者・詩人・映画製作者・画家のように、類稀な創造力で有名な人たちもいます。これは「大きな創造性」と呼ばれることが多いものです。

反対に「小さな創造性」と呼ばれるものもあります。これは、最短の帰宅ルートを思いついたり、新しい問題解決法を考えたりして、日常的に使っている創造性や創意工夫といったもので、ほとんど誰でも日常生活の中で行っているものです。創造性のある人の一番の特徴は知能ではないのです。**新しい難題に直面しても、頑張って新しい解決策を試してみる姿勢こそが、創造力に富んだ人の最大の特徴なのです。**

創造性を強く発揮すると、独特な考えや戦略が生まれ、人や自分の知識を深めることになります。

創造的な企画のフィードバックが欲しい人たちや、悩ましい問題を解決するのに助けが必要な人たちが、創造性を発揮している人の周りに寄ってくるのがわかるでしょう。

創造性が頂点に達すると、様々なものが繋がって、ユニークで素晴らしいアイデアがまとまり、周りの人たちも刺激を受けて、より斬新で興味深いアイデアへと繋がっていきます。

創造力が大切である理由

WHAT | WHY | HOW

研究からわかっている創造性という強みがもたらす効果には、以下の様なものがあります。

・創造性は「発散的思考※」を促すのに役立ちます。発散的思考とは、問題を解決するための方法をたくさん考え出すことです。創造性があれば、様々なアイデアを使ったり、詳細に注目して活かしたりすることで、社会にプラスになるように貢献していけます。
・日々の出来事の因果関係について目線を変えて考え始めたりするときなど、現実的な問題解決に役立ちます。
・副産物として、自信と自己認識が高まることがあります。そのため状況が変わっても落ち着いて、難題やストレス要因に順応できるのです。
・創造性があれば、刺激を受けた周りの人たちのモチベーションが高まり、よりよいリーダーになれます。

※発散的思考の逆は、「収束的思考」。答えを１つ見つける考え方。

・創造性があると活動への興味が刺激され、人の興味を刺激する考えが生まれやすくなります。
・創造性は時間が経ってもあまり変化しません。しかし、支え合ったり、強め合ったり、寛大であったり、打ち解けていたりする環境では、創造性が強まることがあります。反対に、時間的なプレッシャーを受けたり、厳重に監視されたり、自他ともに批判されたりすると、創造性を発揮できなくなることがあります。

創造性を強化する方法 WHAT WHY HOW

振り返ろう

以下の質問に答えて、自分の創造性という強みについて振り返ってみましょう。

・あなたの創造性を刺激するものは何ですか？
・あなたの創造性に歯止めをかけるものは何ですか？
・人の実際の反応や予測される反応で、あなたの創意工夫はどう影響しますか？
・あなたにとっての創造性の意義は何ですか？　それは生活の中でどんな形で表に出てきますか？
・自分の人生の問題や、家族、友人、同僚の問題を解決するのにどのように創造性を役立てていますか？

強み探し

子ども向けの操り人形劇を専門とする芸術家、ワニータ・Lさんの例を見ていきましょう。

私は物作りが大好きです。創造性のない人生なんて、モノクロの世界のようなものです。毎日とにかくやってみる。そうすると創造力を発揮できます。自分だけの表現方法が見つかります。きれいなものを作らなくてもいいのです。例えば、古いTシャツを糸に作り変える方法について読んでみる。ある日、シャツを、鍋つかみと、靴脱ぎ場を出た所に置くマットに作り替えてみる。次の日には、家にあるものを色々組み合わせて料理の実験をしてみる。その次の日は、居間の新しい壁を飾り付けする。こんな具合です。いつもこんな感じのアートっぽいものを、思うがままに作ってみています。そうすると、眠っていた自身の一部が呼び覚まされて、ポジティブな方向にどんどん進んでいけるのです。

私は子供の頃、「セサミストリート」が大好きでした。私の部屋に、練習用の操り人形が3つありました。人形たちと一緒に、何時間も歌ったり、おしゃべりしたり、一緒に解ける問題を作ったりしていました。私は人形に命が吹き込まれる瞬間が大好きです。人形が生き物のように動き出したときの子どもたちの表情は、本当に素晴らしいですね。振り返ってみると、私の人生の中心には、いつも創造性がありました。

私は養子ですが、養子縁組について口にするなと言われていました。「いい子」だった私は、物作りに夢中になることで、孤独に打ちのめされないようにしていたのです。それで創造性がパッと現れました。そうやって家で感じていた疎外感に立ち向かったのだと思います。創造性があることで乗り越えていくことができたのです。

大人になってからは、時間がないので毎日新しいものを作るわけにはいかないのですが、それでも他の方法で創造性を使っています。色々な方法を考えて問題を解決していくのが得意です。息子が学校から帰ってきて算数の宿題に苦労していたり、学校でいじめっ子と揉めていたりすると、すぐに解決策が4つ5つ浮かんできます。浮かんできた方法を全部息子と話し合うこともあれば、息子にとって一番良いものを考えだそうとすることもあります。

行動しよう

人間関係

・家族や友人が人生で直面している問題に対して創造的な解決策を探究してみましょう。

・過去に創造性を発揮したことで家族や親密な関係にある人全員にとってプラスになった出来事があれば、それを吟味してみましょう。

職場

・次の会議で新しい議題が上がったら、出席者と一緒にいくつかアイデアを出し合い、一緒に考えたり話し合ったりしましょう。
・いつもの作業の中から、いつもと違う方法で終わらせる方法を考えてみましょう。今週最低2回その新しい方法を試してみましょう。
・職場で創造性を優先してみましょう。毎日数分「創造の時間」を設けて、色々振り返ったり、考えたり、学習したりしましょう。

コミュニティ

・記事やエッセイ、短編、詩を書いたり、絵を描いたりして、それを他の人と共有してみましょう。

自分自身

・今自分が直面している問題を取り上げて、時間をかけて**1つではなく複数の解決策を考え出してみましょう。**

バランスを取ろう

創造性が発揮できていない場合

状況によっては、創造性が抑え込まれてしまうことがあります。例えば、人を寄せ付けなかったり、頑なに自分の意見を曲げなかったり、権威を振りかざしたり、過度に批判的な態度を取ったりする人たちに囲まれていたりするときなどです。

また、時間をかけてアイデアを温めることを大切にしている人の場合は特に、時間的なプレッシャーをかけられると、創造性を発揮できなくなってしまうことがあります。

創造的なアイデアを生み出して、「点と点を繋いでいく」には、考える時間が大切です。時間をかけて初めて創造性が発揮されることを周りの人に分かってもらえないと、創造性がないと勘違いされてしまう可能性があります。創造的なアイデアを活かし切れていない原因が自分にある場合もあります。例えば、自信を無くしていたり、自分のアイデアの良さを疑っていたり、人に話すのを恐れていたり、誰かを怒らせるのを心配していたりするときです。また、「自分が新しい方法を提案してしまうと、人のアイデアを批判していると思われかねない」という不安もあるかもしれません。

また、あえて創造性を控えめにして、周りに合わせていくこともあります。それが正解になることもありますが、場合によっては、本当の自分を殺してしまい、納得のいかない解決策で妥協する羽目になってしまうこともあるのです。

創造性の出し過ぎ

「創造性の出し過ぎ」と聞くと、ボサボサ頭の思想家が思い浮かんでくるかもしれません。突拍子もない考えで世界を変えられると信じ込んでいても、誰にも相手にされないような思想家の姿です。極端なイメージではありますが、あながち的外れではありません。考え方が斬新すぎて全く報われない結果になってしまうと、誰の得にもなりません。

創造性を使ってエネルギーに満ち溢れていても、空気を読まずに、アイデア・変更点・プロジェクトを膨らませ過ぎてしまうと、周りの人たちをうんざりさせてしまうことがあります。自分にとっても、同僚や家族にとっても、ストレスの元になってしまうかもしれません。創造性が高くても忍耐力が低いと、プロジェクトを完了するのに苦労したり、未完成のままになってしまうものが多くなったり、やり残しが多くなったり、新しい取り組みが中途半端なままになってしまうことがあります。また、せっかく思いついた斬新な方法を評価してもらえないことに、苛立ってしまうこともあります。周りの人が自分の創造的なアイデアに共感してくれているのか、自問してみることが大切です。

マーケティング担当役員のジム・Sさんの例を見てみましょう。

大学生になって初めて、やりたいことを自由に追求できるようになり、新しいやり方をどんどん学んでいた私は、何でも自由に創造できるという期待に胸を躍らせていました。選択肢がたくさんあり、自分のアイデアを実現できる可能性が溢れていました。試してみたいことがたくさんあったので、色々プロジェクトを立ち上げた私でしたが、夢中になって新しいアイデアを追いかけていると、つまらないと思った授業には出席しなくなり、成績が振るわなくなりました。

大学時代の取り組みは残念な結果に終わりました。少し変人扱いされていた私には、就職で先生の推薦を当てにすることはできませんでした。そんな学生時代を送ってしまったことを今は反省しています。当時は自分の取り組んでいたプロジェクトの未来に思いを馳せて無我夢中でしたが、何せプロジェクトの数が多過ぎて、1つ1つにしっかり時間を取ることができず、どれも中途半端になってしまったのです。

創造性の最適な使い方：黄金律

創造性のモットー

創造的で、役立つものを概念化し、価値あるものに繋がるアイデアを生み出す

想像してみよう

自分がチームの一員として卓越した創造性を発揮している姿を想像してみましょう。新製品を生み出したり、新しいアイデアを考え出したりして、他のメンバーに貢献しています。チームのブレーンストーミング会議に積極的に参加し、他のメンバーのアイデアを膨らませたり、新しい考えの道筋を示したりして、バランスを取っています。

そんな中で、ミーティングが自分の一人舞台にならないように、メンバーの表情やフィードバックへの注意を怠りません。その日に行われた別の会議では、長々とブレーンストーミングをしている余裕も時間もないので、出しゃばらないようにしてはいますが、プロジェクトに役立つアイデアを1つだけ説明するようにします。

そんな状況では、創造性だけでなく、「大局観（全体像をとらえること）」や「社会的知性（周りの反応に注目すること）」も使っています。

VIA・24の性格の強み

好奇心 ―CURIOSITY―

好奇心について知っておくべきこと WHAT WHY HOW

好奇心を持つということは、探究し発見すること、現在進行形の経験そのものに興味を持つことです。好奇心は、新しさを求め、何でも積極的に経験しようとすることだとよく言われます。これは湧き上がってくる知識欲と関連しています。

新しい経験をしたり、新しい事実を知ったりすることで、知識欲が満たされていきます。新しいレストランに行く、新しい街に足を運ぶ、クラスで新しい人に会う、質問の答えを探してインターネット検索をしたりすることで、新しい経験や情報への探究心を満たすことができるのです。

好奇心があると、現在進行形の人生経験に積極的に興味を持つようになります。積極的に新しい経験を積んでいく姿勢が、言わば自分の代名詞になって、成長の糧となってくれるでしょう。新しい人・場所・状況・仕事を始めとする様々なものを探究していく準備ができているのです。好奇心が頂点に達すると、心の中で驚きと興味という炎が燃え盛ります。積極的に情報を求めて質問をすることで激しい好奇心を満たしながらも、他人に不快な思いをさせないように、知的柔軟性（批判的思考力）を働かせて知識欲をコントロールすることも忘れません。

好奇心が大切な理由 WHAT WHY HOW

好奇心という強みがもたらす研究成果には以下のようなものがあります。

・好奇心は、人生の満足度と一番結びつきの強い5つの強みのうちの1つです。
・幸福、健康、長寿、良好な人間関係と関連しています。
・好奇心があると、結婚生活が色あせずに飽きがこないままで、2人の絆が強まります。
・人生の意義探しに役立ちます。
・新しい状況でこれから何が起こるのか明確でなくても受け入れやすくなります。
・好奇心が一生物の趣味、情熱、仕事に繋がることがよくあります。
・好奇心がある人は、成長したり、能力を身に付けたり、刺激が高まるような活動に魅力を感じます。そのため自己研鑽のための目標を公言する傾向があります。例えば、自分の性格の強みへの理解を深めたいといったようなことです！

好奇心を強化する方法 WHAT WHY HOW

振り返ろう

以下の質問に答えて、自分の好奇心という強みについて振り返ってみましょう。

・あなたの好奇心を何よりくすぐるものは何ですか？
・好奇心を表現したい気持ちが一番強まるのは、誰とどんな状況にいるときですか？
・幼少期や思春期に、好奇心旺盛でしたか？　成長して好奇心に変化はありましたか？　時間を経て変化したとしたら、その理由は何ですか？
・何かに興味が湧いたときに、好奇心を行動に移せないのはなぜですか？　好奇心を最大限活用するために役立つものは何ですか？
・好奇心は、人生における様々な領域（家族、社会生活、仕事、学校）でどのように発揮されていますか？

強み探し

28歳のＩＴの専門家、ジョルジオ・Ｃさんの例を見てみましょう。

質問したり、好奇心を持ったりすると、精神的に刺激を受けて、考えるべきことを考えられるようになっていける気がしています。若い頃も質問ばかりしていました。

本格的にコンピュータに興味を持つようになったのは、10代の頃です。他の子たちはコンピュータで遊ぶだけで、その仕組みなんて考えてもいませんでしたが、私は興味津々でした。コンピュータを開けて、中を見て、色んなパーツの役割について考えてみました。関連書籍を読み、人々に質問攻めをしては怒られましたね。でもそれが私のやり方なのです。初対面の人でも変わりません。どんどん質問をしていきます。いつだって私の興味をそそるものがあります。一期一会ですから、質問の機会は二度と訪れません。どんな状況でも宝石は見つかるのです。

動物や植物、鉱物、飛行機、スポーツ、陶器、瞑想などに興味があります。食べ物と旅行が、多分一番のお気に入りですね。人や異文化、習慣、人間関係について色々学べるからです。「同じ場所に二度訪れないタイプ」がいますがまさに自分のことでしょう。いつも目線を変えて、新しい場所探しをしています。

私が食べ物の話を始めると止まらなくなりますよ！　自分ほど食への好奇心が旺盛な人はいないと思ってしまうことがあるくらいです。世の中に食べ物は無限にあります。食べ物の組み合わせは無限ですからね。

私は男性だらけのオフィスで働いています。誰か腕を骨折した人が入ってくると、私なら数えきれないくらい質問をするのに、他の人たちは口をつぐんでしまうのです。どうして人の人生に無関心な人が多いのでしょうか。私には不思議でたまりません。

行動しよう

人間関係

・相手の考えや気持ちを理解しようとすることで、人間関係で好奇心を使いましょう。「どんな気持ち？」や「どう思う？」などといった質問を直接してみましょう。あなたと同じような課題に直面している人が、どんな方法で対処しているのか、興味を持ってみましょう。
・親しい人の知らない面を書き出してみましょう。準備ができたら、1つ2つ選んでその人に質問します。次に相手から自分にも質問をしてもらいましょう。
・親しい人に今どんなことが気になっているのかを聞いて、それを一緒に探究していく方法を見つけましょう。

職場

・職場で、チーム、部下、上司に、「なぜ？」と聞く回数を増やし、興味を持っていることを言葉にしてみましょう。
・嫌いな作業や興味が無くなった作業に対して好奇心を持てるようになりましょう。これまで知らなかった特徴や他のものにはない特徴を最低3つ探しながら、その作業に取り組むようにしてみます。
・よく知らない同僚に声をかけましょう。仕事、その週の調子、私生活についていくつか質問してみましょう。

コミュニティ

・新しい食べ物を試したり、新しいレストランへ足を運んだりして、色んな食べ物や場所を探索してみましょう。
・いつもと違う道を通って帰宅して、家の近所で行ったことがない地域を散策してみましょう。
・ネットで住まいの近くの地域活動を検索してみましょう。一番興味のあるものに注目してみましょう。

自分自身

・自分自身に興味を持ちましょう。自分の価値、将来への希望、家族や仕事、コミュニティに対して自分が貢献してきたことを積極的に振り返ってみましょう。自分のやっていることに対してのモチベーションについて新しい視点を持ってみましょう。好奇心を原動力にして、自分の一番大事なものと関係する行動を起こしましょう。

バランスを取ろう

好奇心が発揮できていない場合

ある状況で好奇心が発揮できていないと、退屈そう、興味がない、疲れている、気が散っている、自分のことで精一杯になっていると思われてしまうことがあります。

そのようなよくある行動に注目すると、好奇心が一日の生活の中で増えたり減ったりするのは自然なことだとわかります。目に生気がなかったり、目をそらしたり、身振り手振りが減ったり、注意が散漫になっていたりすると、一目で興味がないと判断されてしまいます。自分では空気を読んで好奇心を抑えているつもりでも、周りの人の目に自分の姿がどう映っているのか意識してみるのもいいでしょう。

また、好奇心が人にも自分にも役立つ可能性がある状況で、自分の好奇心を抑え込んでしまっていないか確認することも重要です。強い権力者がいたり、不安を感じたり、質問をするのではなく指示に従うことが求められているような状況になると、好奇心を抑えてしまう人もいます。

会話やプロジェクト、日課、作業に身が入っていないと、自動操縦状態になって、ただ受け身で生きていくようになってしまい、周りの細かな事や微妙なニュアンスに注目しなくなってしまいます。そんな受け身の状態にあえて留まることもあるかもしれませんが、好奇心を使ってそんな状態から抜け出したいと思うこともあるでしょう。

好奇心の出し過ぎ

好奇心を発揮し過ぎてしまうと、おせっかいになったり、押し付けがましくなったりして、相手を怒らせてしまうことがあります。人がどんな生活をしているのか、どんな秘密があるのか、どんな困難を抱えているのかといったようなことを知りたくなるのは自然なことですが、好奇心が強過ぎると、相手が不快な思いをし、離れていってしまうこともあります。好奇心旺盛な人は、興奮し過ぎと思われたり、無礼だと思われたりすることもあります。

気がつくとやるべき作業に集中できなくなっていることもあるかもしれません。好奇心が旺盛過ぎる人にとって、インターネットは特に危険です。仕事に集中せずに頭に浮かんできた質問の答えを延々と探し求めてしまうことがあるからです。不快なことでも好奇心を使って対処していくのは大切なことです。しかし「好奇心は身の毒」ということわざがあるように、ほどほどにしておかないと危険な状況に陥ってしまうことがあります。

33歳のイベントプランナーのジェイド・Sさんの例を紹介します。

私は「お節介」と言われ続けてきたので、慣れっこになりました。仕方がないですね。自分の代名詞だと思って割り切ることにしています。それが私なので。

私は好奇心旺盛です。それに加えて人好きなので、色々質問したくなります。相手が少しでも答えてくれると、ブレーキが効かなくなって、もっともっと聞きたくなってしまうのです。相手の仕事、人生、人間関係、ペット、興味があること、旅行の事について質問してみます。それを快く思ってくれて、気持ちが通じ合える人もいますが、すぐにうんざりされてしまって、会話が続かないこともたくさんあります。「大きなお世話だ」と言われてしまうこともあるのです。

好奇心の出し過ぎがきっかけで新規の顧客ができて、得意先になってもらったこともありますが、顧客が離れていってしまったこともあります。上司に、質問はほどほどにするように言われてしまいました。

少しコントロールして、心を落ち着かせて、一息つくようにしていますが、思いっきり質問を吐き出してしまうこともありますね。遠慮なしに！

好奇心の最適な使い方：黄金律

好奇心のモットー

自分も他人も煩わすことなく、新しい経験が得られる状況を追求する

想像してみよう

話し相手の人生について知りたくなったとします。

初めて会ったばかりの相手の話に興味津々のあなた。その人の考えや気持ち、その人がしてきたことが知りたくなってきます。色々質問をして、急かさずに相手に答えてもらいます。自分からも相手に同じような話をして、会話が一方通行にならないようにしていきます。

質問をきっかけに絆を深めていくのは大事なことですが、状況をわきまえて質問するようにすることも大切だと認識しています。会話をしていると、色んなトピックが浮かんできますが、その中には場違いなものもあるからです。気になったトピックの中から幾つか選んで、相手の意見や印象を聞いてみます。

興味深い会話が続き、相手にどんどん質問して答えてもらったり、自分からもどんどん相手に伝えたりしていくと、会話が弾むことがわかります。

相手によっては、間を空けたり、話題を変えたり、「その話はまた別の機会に」と伝えることもあります。そんな状況では、好奇心に加えて他の強みも使うことで、会話が噛み合うようにしています。

新しい話題を考えて相手についてもっと知ろうとすると、創造性が高まります。同時に向学心が高まって、話題を掘り下げていけます。

相手との「将来繋がっていきたい」という感情（熱意）と「繋がっていける」という感情（希望）が高まっていることにも気づくでしょう。

大局観と思慮深さを使って全体像を捉えれば、好奇心のバランスが取れてきます。時間をかけて、注意を払い、じっくりと考えることで、新しい人間関係を築いていくことができるのです。

知的柔軟性（批判的思考力）―JUDGMENT/ CRITICAL THINKING―

知的柔軟性（批判的思考力）について知っておくべきこと WHAT WHY HOW

知的柔軟性には、理性的で論理的な選択を行って、アイデア、意見、事実を分析的に評価する力が関わってきます。性格の分野以外では「批判的思考力」と呼ばれるもので、結論を急がず、証拠を公正に比較検討し、物事を考え抜き、様々な角度から証拠を考察できます。

このように考えると、知的柔軟性が「頭の強み」の中でも核となるもので、思考重視の性格的強みであることが明確になったのではないでしょうか。

認知心理学の研究で、意思決定の仕方について重要な真実が明らかになってきています。関連情報を全て洗い出したり、考えられる見解をすべて検討したりするような時間や傾向はほとんど見られません。その代わりに、大事な情報を瞬時に突き止めて比較検討しているのです。

このように、詳細の中で大事なものを特定して、明確かつ公平に検討していく過程こそが、知的柔軟性に優れた人の特徴だと言えます。

そうは言っても、知的柔軟性に溢れている人は、考慮に入れる選択肢も比較的多く、問題・状況・アイデアをあらゆる角度から捉えているように思えます。これを実践することで、物事が鮮明に見えてきて、問題が起こっても、「カタストロフィー化（些細な問題を大問題だと思ってしまうこと）」のようなありがちな罠に陥らずに済みます。

人間には、自分の現在の見解に有利な方法で考えたり、そのような見解に都合の良い情報を探したりする傾向があります。しかし知的柔軟性（批判的思考力）に優れている人は、そのような傾向に陥らないように心がけています。

例えば、知的柔軟性に溢れている人であれば、特定の政治的見解にだけ肩入れして、その見解を一方的に支持する情報源に固執するようなことはありません。反対に、知的柔軟性を使って、様々な情報源から様々な見解を探し出そうとします。

知的柔軟性があれば真っ当な決断が下せる人になれます。偏見をほとんど持たずに、1つの問題を様々な角度から評価し、結論を急ぐことはありません。この知的柔軟性が頂点に達すると、対象となっている問題を熟考して客観的に色々な選択肢のバランスをとり、新たに動かぬ確かな証拠が出てくれば、考えを改めるという柔軟性があるのです。

知的柔軟性（批判的思考力）が大切な理由

WHAT WHY HOW

知的柔軟性の強みがもたらす効果についての研究結果には、以下のようなものがあります。

・複数の視点から物事を見ることができる人は、特に変化が起きたときに、うまく対処することができます。
・知的柔軟性を使うと、偏見が中和され、より正確な意思決定をするのに役立ちます。
・知的柔軟性が高いと、受容性（柔軟で寛容な姿勢）が得られます。受容性を使うと、人生の深い意味や目的への探究心が深まり、生きる意味を理解しやすくなります。
・知的柔軟性の強みを持つ人は、個々の出来事に左右されることが少なく、暗示にかかったり操られたりしにくいようです。

知的柔軟性を強化する方法 WHAT WHY HOW

振り返ろう

知的柔軟性の強みを振り返りながら、以下の質問について考えてみましょう。

・自分の知的柔軟性を人にどう表現しますか？
・感情が邪魔して客観的に考えられなくなるのはどんなときですか？　一番そうなりやすいのはどんなときですか？
・どんな人といたり、どんな状況にいたりすると、自分の分析的な側面が引き出されますか？

自分の感情的・直感的側面を引き出してくれるものは何ですか？
・決断を下そうとしているときに、全体像を捉える妨げになるものはありますか？
・自分や人への感情を、どうやって合理的な思考プロセスに取り入れますか？
・どんな人といたり、どんな状況にいたりすると、感情的になって混乱をきたし、合理的に考えにくくなってしまいますか？

強み探し

コミュニケーションが専門の大学教授、54歳のジャッキー・Bさんの例を見てみましょう。

政見に関する仕事に就いたのは、私にとって自然な事だったと思います。他の人の意見に耳を傾けて、真偽を判断するのが私の仕事です。感情的な言葉を使って自分の言い分を通そうとする人が多い現代社会では、大切なスキルでしょう。読んだことや聞いたことを批判的に捉えることの大切さを学生に伝えようと努めています。

これは仕事に限ったことではありません。読んだものや聞いたものの中で、理論や事実を基にしているのはどの程度なのか、意見や感情を基にしているのはどの程度なのか、自分に問いかけてきました。

人が発言したら、論理的根拠を探ってみます。私はとても信心深い家庭で育ったので、教会の教えを疑うと、家族に辛く当たられました。家族には、「お前は何も信じていない」と思われていましたが、それは違います。ただ言われたことを評価して、真偽を自分で判断したかっただけなのです。

良い例を挙げましょう。私は医者に診てもらう前に、インターネットで信頼できる医療情報を見つけて調べておくようにしています。自分のかかりつけの医師の診断結果と比べて、かなり慎重な意見が見つかることがよくあります。そういった情報を事前にしっかり準備してから医師の診察を受けるのですが、十中八九、「もう少し様子を見ましょう」という意見に賛成してくれます。こうやって、自分と家族の健康をもっとうまく管理しているのです。

行動しよう

人間関係

・重要なトピックについて、自分と意見が違う人と話してみましょう。その情報を評価し、自分の意見を見直すかどうか考えてみましょう。

・ある人についての情報収集をする時は、情報の真偽を基準に評価を行い、理性的に分析することで、結論を急がないようにしましょう。

・自分と意見が違う人がいたら、自分の考えを伝えて、一緒にその違いの根拠を探ってみましょう。いくつか質問をして、相手の意見を明確にしましょう。

職場

・批判的に分析して決定を下す場合、知的柔軟性を存分に発揮しています。今の仕事のプロジェクトについて考えてみましょう。はじめはボツにしてしまいそうだったプロジェクトに対して、何か新しい事を考え出してみたりして、別の角度から捉えるようにすると、知的柔軟性が発揮できます。

・複数の案があって意見が割れている作業を1つ選んでください。知的柔軟性を使って、それぞれの案の主張を吟味してみましょう。

・職場で、ある問題について自分が偏見を持っていると思ったら、様々な拮抗意見をきちんと建設的に考察して、検証してみましょう。

・知的柔軟性が高い人は、プロジェクトや会話、仕事上の作業の細かい部分に興味を持ち、課題や問題を色々な角度や視点から見ようとします。この特性を活かして上司やチームに貢献したときのことを考えて下さい。自分がその状況で知的柔軟性を使ったことを評価してあげましょう。

コミュニティ

・自分と全く意見が違う人になったかのように（ポジティブに）振る舞ってみましょう。実際に別人になったかのように行動するのが難しい場合には、頭の中でそんな場面を想像してみてください。

・自分と真逆の主張をしている政治番組を観て、どうしてそんな主張を心から信じられる人がいるのか理解してみましょう。

・自分の意見とは違う、スピリチュアル、宗教的、無神論的な分野のブロガーが書いたオンライン記事を読んでみましょう。心を開いて、偏見を捨てて、広い心を保てるように練習してみましょう。

自分自身

・知的柔軟性の強みを活かすことで、人の発言や行動に潜んでいる「盲点」が見つけやすくなります。「盲点」とは、自分の中にある資質に関して、見えていなかったり、認めていなかったり、受け入れてこなかったりした部分です。知的柔軟性を使って、自己評価をしてみましょう。自分の性格的資質を1つ選んで批判的に考えてみます。その資質の長所と短所について考えてから、その好影響と悪影響について考えてみましょう。その際に、自分で気づいていなかった「穴」を意識して見つけようとしてください。

バランスを取ろう

知的柔軟性（批判的思考力）が発揮できていない場合

状況によっては、批判的思考力が足りないと、深みがなく、会話に説得力がありません。また、批判的思考力が足りず、感情や情熱が高まり過ぎて、他の意見にきちんと耳を傾けられなくなってしまう状況もあります。

そんな場合には、感情が高まり過ぎて冷静に考えられなくなっている自分を、落ち着かせる必要があります。

「正しいのは自分だ。どれだけ議論しても自分の信念は絶対に揺るがない」という理由で、熱い議論も辞さないという人もいます。

これに代わる方法を考えてみましょう。自分の立場が本当に正しいのなら、理性的に議論すれば、正しさが自ずと証明されるはずです。

自分と考えが違う人たちが議論で感情的になった場合、落ち着いて相手の論法を理解しようとしてみましょう。こちらまで感情的になって議論を始めてしまったら、自分の論理的主張に自信が無いことになります。

揉め事が起こっている状況で知的柔軟性が不足していると、後で振り返ったときに恥ずかしい思いをしたり後悔したりするようなことを口にしてしまい、特に危険です。感情的になってしまいやすい場合には、置かれている状況や相手の言動を分析して、観察した相手の行動を本人に伝えてあげると、緊張感が和らぎます。

親や、権威のある人たちに批判的思考力を潰されてしまうこともあります。社会・政治・宗教・民間機関・学校など、批判的思考が奨励されていないところがたくさんあります。

大抵の人は、自分の意見や考えを支持してほしいと思うものです。しかし自分と違う人のことを「間違っている」と決めつけてしまうのは視野の狭い考え方です。こうなると知的柔軟性が発揮できなくなります。

親密な人間関係では、批判的思考力が歓迎されない場合もあります。例えば親の場合、子どもが大人になって自分と意見がぶつかるようになると、辛い思いをすることがあります。また交際相手や結婚相手が横柄だと、パートナーの意見を受け入れようとしないこともあります。

知的柔軟性（批判的思考力）の出し過ぎ

どんな場合に知的柔軟性が過剰になってしまっているのか。その答えは簡単です。人や自分を性急に判断してしまって、批判的になってしまっている場合です。大抵の人には、自分を激しく責めてしまった経験があると思います。批判的思考力を使ってモチベーションを高めたり色々考え抜いたりするのは普通のことですが、日々の行動や過ちについて長々と自分を責め立てるのは、有益なことではありません。

このように批判ばかりしてバランスが悪くなってしまう状況は、人との会話にも通じるものがあります。初めて会った人や親しい人を性急に判断してしまうことがあるのです。大事なのは、短所と長所の両方に触れて建設的なフィードバックをして、改善に役立ててもらえるようにすることです。

教育者・雇用者・親・監督者には、フィードバックで長所にほとんど全く触れない人が多いのです。自分でも気づかないうちに、この批判的思考習慣が定着してしまうことがあります。

友人・交際相手・伴侶は、「自分の考えを支持してほしい」「自分の気持ちをわかってほしい」と思っているだけで、理性的に判断してほしいとは思っていないことが多いのです。そんな場合には、自分の身近な人たちに「話を聞いてもらっている」「わかってもらっている」と実感してもらえるようにするのが大事になってきます。

人の意見を批評しすぎてしまうと、相手の心が通じなくなってしまいます。そんな場合には、相手の話をしっかり聞いて、親切心を忘れずに、社会的知性を活かし、自律心を発揮しながら、批判的思考力とのバランスを取るようにしましょう。また、好奇心を使うと、人の意見やアイデアを知るのに役立ちます。

批判的思考力を使い過ぎてしまうと、必要な情報や意見を全部集めてからでないと良い決断は下せないと思ってしまい、優柔不断になってしまうこともあります。これはつまり、強みになるはずのものが障害になって、決断できなくなり、みすみす機会を逃してしまいかねないということです。

良い判断をするには、情報を全部知る必要はありません。実際は、限られた情報で決断する場面の方が圧倒的に多いのです。

筋を通そうとするがあまり、理性的になり過ぎてしまって、気持ちへの配慮を欠いてしまうこともあります。そうなってしまうと、直感的・感情的に判断を下すような人とやり取りする場合に、特にストレスとなります。

54歳の銀行マン、デイブ・Rさんの例を見てみましょう。

物事を真に受けたり、聞こえがいいだけで鵜呑みにしたりしないのは、良いことだと思います。そうすれば早合点する羽目にならないので。

でもそれだと嫌味な人間に見られかねません。本当にネガティブな人間だと思われてしまうことがあるのです。ただ人の発言を様々な角度から見ようとしているだけなのですが。それでもちょっと場を盛り下げてしまっているところはあると思います。人の発言におかしなところがあっても、社交の場では口をつぐんでいる方がいいですね。

私の批判的思考力が一番悪い影響を与えたのは、妻との関係だと思います。妻がなんとなく提案してきただけなのに、私がムキになって批評してしまうことがあります。妻に「スーパーに行こうと思うんだけど、メリット・デメリットは言いっこなしね！」と言われてしまったことがあるくらいです。妻と2人で笑ってしまいましたが、それで私にもわかりました。それからは、そんなに大事でないことを決める場合や、神経を逆撫でするようなことを言われた場合でも、もっと気楽に対応するようにしています。

知的柔軟性（批判的思考力）の最適な使い方：黄金律

知的柔軟性のモットー

決断を下す場合には、自分の信念に反する主張を含めて、客観的にあらゆる側面を考慮する

想像してみよう

頭と心の両方のバランスを取り、即座に浮かんでくる直感や個人的感情を考慮に入れながらも、時間をかけてきちんと理性的に考えて、状況に対応している姿を想像してみてください。

家族といるときと地域の友人と一緒にいるときでは、批判的思考力の使い方が違ってきます。職場での使い方も違います。このバランスのどこかに知恵が潜んでいるのです。細部にこだわるようになってしまった場合には、大局観を使って、全体像に再度焦点を当て、決断を下す必要はあるのか、様々な選択肢をどの程度比較検討すれば良いのか、考えるようにします。

物事を深く考えるのは大切なことだと考えて、時間をかけて分析したり熟考したりするのは重要なことですが、時間を無駄にすることがないようにしましょう。

批判的思考力に加えて、「思慮深さ」や「自律心」のような他の思考に関わる強みを使い、さらに「愛情」や「感謝」などの心の強みを組み合わせていきます。

完全に偏見をなくすことはできませんが、偏見や固定観念を減らして、健全で論理的に考えて、知識を積み上げ、人と共有していくように努力していきます。

VIA・24の性格の強み

向学心 ―LOVE OF LEARNING―

向学心について知っておくべきこと WHAT WHY HOW

向学心は、学習への情熱、学習すること自体への欲求です。実際に、好奇心と向学心はVIA分類の強みの中でも特に結びつきが強いものになっていますが、それでも2つは別物です。

好奇心の原動力は知識を追い求めていくことですが、向学心の原動力は、自分の知識を膨らませていくことです。好奇心は溢れ出るエネルギーと情報収集への意欲が結びついていることが多いのですが、向学心のある人は物事をじっくり考えることが多くなっています。

向学心があると、ブログ記事を1つ読んだり、自分の質問に2行で答えてもらうだけでは気が済みません。話題について徹底的に掘り下げて、新しい技術を身に付けたり、新しい物を習得したりしたくなるのです。ある話題について数冊本を読んだり、学校のコースを取ったり、学位や資格の取得を目指したり、情報源を色々活用して学びを深めていったりします。博物館に行ったり、オンライン図書館を検索したり、情報に溢れたウェブサイトに目を通したり、ドキュメンタリーや教育番組を見たりする場面でも、向学心が発揮されていることがあります。

向学心がある人は、新しい内容と情報を大事にします。「少ないくらいなら、まとめきれないくらいの情報を大量に取り入れてしまう方がいい」と考えています。**なんとか足りる程度の情報で済ませてしまったり、中途半端な理解で満足してしまったりすることはありません。**新しい情報に胸が躍るのです。このように新しい情報を自分の物にすると、感謝・喜び・誇り・希望・心の安らぎといったような、ポジティブな感情が色々生まれてきます。

向学心のある人は、学習を始めて方向付けをしていくのが得意です。人間関係の本質・金融問題・地域社会の機能などに注目して学習し、特に、日常生活に役立つように学習の方向性を決めていけます。**そういった人は、「人生には学習の機会が溢れている」と考える傾向があり、言ってみれば「人生という大学」の学生なのです。**

問題、挫折、会話、SNS、通勤の車内といった様々なものが、すべて学習の機会になります。新しいことを学んでいると、目の前の扉が開いたような気持ちになり、情熱的に掘り下げて、どんどん情報を求めていくのです。

向学心が大切な理由 WHAT WHY HOW

向学心の強みがもたらす効果についての研究成果には、以下のようなものがあります。

・向学心を発揮すると、知識の基盤が深まり、能力と自己効力感が高まります。
・向学心の高い人は、学校での成績が良く、愛読家の傾向があります。静かで内向的なことが多いのですが、それが当てはまらないこともあります。
・向学心がポジティブな経験の土台となって、心身の幸福度が高まりやすくなります。
・新たな挫折や挑戦を、学びや成長の機会と捉えることで、忍耐力が高まります。
・向学心があると、健康で生産的に歳を重ねやすくなります。

向学心を強化する方法 WHAT WHY HOW

振り返ろう

向学心の強みを振り返りながら、以下の質問について考えてみましょう。

・あなたが一番興味を持っている学習分野（事実に関する知識、人、スキル、哲学、スピリチュアリティ）は何ですか？　また、一番興味がない分野は何ですか？
・学習の魅力は何ですか？

・一番夢中になれる学習方法（例えば、読書、実験、独学、グループ学習等）は何ですか？逆に一番夢中になれない方法は何ですか？
・知識を使うとどんなふうに人生が良くなりますか？
・自分の広く深い知識は、出会ったばかりの人や近しい人との関係に、どのような影響がありますか？

強み探し

24歳の小学校の教諭、カトリーナ・Mさんの例を見ていきましょう。

私は成績の良い生徒で、コロンビアのトップ校に行きました。本当に優秀さを引き出す学校でした。その後、両親に別の学校に転校させられたのですが、そこでも成績優秀でした。どこに行っても本と学習は私にとって欠かせないものでしたね。本は絶対に裏切りません。気に入らない本があっても、別の本を探せばいいのです。本はペットと同じでがっかりさせられることはありません。

私が他と違うのは、1冊の本では飽き足らず、何冊も読み漁ってしまうところです。話題の本を5冊も10冊も手に入れてしまいます。本やインターネット検索から学び、そのトピックについて人と話して学んでいきます。トピックについて理解を深めていくのが大好きなのです。

それは本に限ったことではありません。夢中になったものなら何でも、できるだけたくさん学んでいきたくなります。今は料理に夢中で、毎日料理の練習をしたり、8つの料理番組を観たり、料理本や料理ブログを読んだりしています。

以前はコンピュータに夢中になっていて、質問するためだけにパソコンショップに行ったりしていました。コンピュータに詳しい人が質問にていねいに答えてくれることもありましたね。最終的には、自作パソコンの作り方を学びました。お金のためでもなんでもありません。作って売る気なんてありませんでした。ただ、コンピュータについて学んで、仕組みをきちんと理解したかっただけです。

他にもありとあらゆるテーマについて、どんどん学んでいきたいと思っています。セーリングと飛行機操縦のライセンスを取るつもりです。これまで3カ国に暮らしてきたのは、他の文化、特に自分の国とは違う文化について、できるだけ学びを深めていきたかったからだと思います。

行動しよう

人間関係

・親しい関係の人と、新しい趣味や活動を始めて、一緒に学びを深めてみましょう（料理、収集、同じ本を読む、バードウオッチングなど）。
・興味がある話題やもっと学びを深めていきたいと思っている話題について、深い話ができる人を探しましょう。

職場

・情報を収集したり、話題について調べたり、新しいことを学んだりするのが好きな人は向学心を発揮しています。同僚から積極的に学んでいくこともあるかもしれません。同僚がどんな知恵を持っているか考え、その知識から何を築いていけるか探ってみましょう。
・仕事の休憩時間中、5～10分時間を取って、興味のあるトピックについて、新しいことを学んでみましょう。タイマーをセットして、そのトピックについてインターネットで検索してみましょう。
・新しいトピックについて深く学習しているときには、向学心を発揮しています。そんな学習が自分の職場のプロジェクトに関係していると、組織にとって大きな資産になります。どうやったら自分の向学心を職場で最大限に発揮できるのか、上司と相談してみましょう。

・オンラインクラスを受講したり、無料のオンラインコースに参加したり、新しい資格を取得したりするなど、色々な可能性を探ってみましょう。

コミュニティ

・自分のコミュニティにある建物や新しい店に足を運んで、ビデオ、書籍、ウェブサイトなどの様々なメディアで、詳細について調べてみましょう。

・コミュニティに関する自分にとって大事なトピックを考えてみましょう。時間をかけて、そのトピックや問題、現象、状況についてできる限り学びを深め、その知識をどのように使ったらコミュニティに貢献できるか考えてみましょう。

自分自身

・自分自身のアイデンティティについての理解を深めましょう。自分にある様々な強みを探り、その源（家族背景、人間関係、個人的な経験など）を探し、それを過去にどんな方法で使ってきたのか考えてみましょう。

バランスを取ろう

向学心が発揮できていない場合

向学心が分野によって変わってくることがあります。スポーツや料理で向学心をかなり発揮できても、絵画やコンピュータでは全く発揮されないこともあります。

後者のように向学心を発揮できない分野が仕事などの大事な場面でテーマになっている場合、向学心が足りていないという印象を与えてしまいかねません。テーマへの興味や好奇心が足りないだけで、向学心を発揮できていないこともあります。

親密な関係では、向学心がなくなるとすぐにわかります。交際中は相手のことを知りたい気持ちが強くても、責任を伴う段階になると、その気持ちが急激に弱まっていきます。次第に相手のことを気にかけなくなってしまい、「相手のことは何でも知り尽くしている」と決めつけてしまうのです。その場合、相手に対する向学心を活性化するようにすると、2人の関係が輝きを取り戻して、深みを増していきます。

「大卒でない人は向学心が低い」などと決めつけないように注意しましょう。機会や資金がなかっただけなのかもしれません。大卒でなくても、ノンフィクションを読み漁ったりして生涯学習に励んでいる人はたくさんいます。向学心について考える場合、結果ではなく行動に目を向けましょう。

向学心の出し過ぎ

向学心が激しくなると、「知ったかぶり」だと思われてしまうことがあります。どんな話題についても自分なりの主張を持っていて、言いたいことが山のようにあるため、話し始めると独演会になってしまうことがあります。

周りの人はただ問題を解決したり、砕けた会話がしたいだけなので、嫌がられてしまうことがあるのです。知識の吸収や学習に熱心で、自分の知識を人にも役立てて欲しいという思いがあるのはわかりますが、状況によっては、ただの自慢話に聞こえてしまいます。状況判断を誤って知識を披露しすぎてしまうと、相手に悪印象を持たれて、「向学心にも程がある」と思われてしまいかねません。

良かれと思って話していても、聞かされる方は、情報量にただ圧倒されてしまったり、会話を乗っ取られてしまったと感じてしまうかもしれません。それでも当の本人には喋り過ぎという自覚がないことがあります。

残念ながら、それが繰り返されてしまうと、口を聞いてもらえなくなってしまったり、必要最低限の会話しかしてもらえないようになってしまう可能性があります。

43歳の弁護士、エリック・Kさんは、向上心の出し過ぎについてこう語っています。

妹は、いつも読んでいる本の内容を伝えたがる私のことを、うっとうしいと思っていたそうです。私は、世間の人が知らないようなことを、色々話して聞かせるのが大好きでした。妹に話を聞かせて欲しいと言われると、いつも「これを読んでみなよ！」と、お薦めの本を渡していました。とても頭のいい妹から見ても、そんな私の姿は「優越感丸出しの上から目線」に思えたのです。学んだ知識を人に話すのも大好きでした。話をすれば「わぁ、面白いね！」と言ってもらえると思っていたようです。あれこれひけらかしてしまって人を見下した態度にならないように気をつけないといけませんでした。

行動が伴わないことがあるのが私の一番の弱点だと思います。コンセプトを考え出したり、必要な情報を見つけるのは得意です。

頭の中で次々に考えが湧いてきて、それからリサーチをしてみるのですが、アイデアがそこで止まってしまうことが多いのです。色んなことに興味があるので、1つのことに集中したくなくなってしまい、最後までやり通せないのでしょう。

他の強みも発揮してやり通していく必要があるとわかりました。そのためには、自分で努力したり、計画を立てたり、人と協力していく必要があります。

向学心の最適な使い方：黄金律

向学心のモットー

新しい次元の知識を獲得したり、意義深い方法で、既存の知識やスキルを深めたりしたいという意欲がある

想像してみよう

どんな状況にも学びはあると考えているあなたは、1人でいても、人といても、ストレスを感じていても、充実していても、学びを深めていきます。

それでも、頑なに全てを学びに変えようとしているわけではありません。楽しむべきときには楽しみ、人といるときには親切心と社会的知性を使い、プロジェクトには熱意と忍耐力を発揮していきます。

また、時間的な制約があって学びを追求するのが難しくなったら、優先すべきことを選択できているかどうか慎重に見直します。

今の状況で向学心を優先するのが適切なのかどうか考えるようにしたり、立ち止まって、自分が伝えた情報を相手がどう受け取っているか確認したりするのです。「これどう思う?」といったような質問をすることで、相手からも情報が得られます。人に自分の知識を伝えている間も、相手の様子を観察して、話に夢中になり、受け入れてくれる姿勢があるのか、心から興味を示しているのかを判断するように努めるのです。

信頼できる人に尋ねて、傲慢になっていないか、バランスが取れているかどうか確認するようにしましょう。

VIA・24の性格の強み

大局観 ―PERSPECTIVE―

大局観について知っておくべきこと WHAT WHY HOW

大局観とは、人生の全体像を捉える能力のことです。大局観があると、木（詳細）と森（全体像）の両方を見て、些細なことにとらわれずに、大きな問題について考えられます。人の話を聞きながら、人生の教訓、適切な行動、そして議論されている状況の最善策を、同時に考えることができるのです。システムの全体を捉えて、広い視点から考えることで、適切なアドバイスができます。

相手が直面している状況が自分が経験したことのないものでも、大局観があれば、TPOに合った質問をしたり、一般的な人生指針を当てはめたりすることで、力になってあげられるのです。洞察力やアイデアが必要な人にすぐに頼りにされるようになります。大局観がある人は、自己認識力が高く、自分の限界を理解している傾向があります。

大局観を最大限に発揮できると、即座に問題の核心を捉えて全体像を見通すことで、周りの人に、実用的で有意義な助言や支援を提供できます。

大局観と知的柔軟性は互いに補い合うものです。知的柔軟性を使って、正しい決断のために必要な詳細を得て、大局観を発揮して全体像を捉えることで、適切な判断を下せるのです。知的柔軟性がミクロの強み（詳細に注目する力）になり、大局観がマクロの強み（全体像を捉える力）となっていきます。

大局観が大切な理由　WHAT WHY HOW

大局観という強みがもたらす効果についての研究成果には、以下のようなものがあります。

・死や世界での自分の役割といったような大きな問題について考える能力は、身体的な健康状態、社会経済状況、財政状況、物理的社会的環境などの条件よりも、高齢者の幸福度との結びつきが強いことがわかっています。
・大局観を持つ人は、アドバイスを求めている人たちにとって大切な存在です。全体像を捉えたり別の視点で見たりする力になってくれるからです。
・大局観は「黄金律」に従って強みを使う場合に大事な役割を果たしてくれます。「黄金律」とは、適切な強みを、適切な量だけ、適切な状況で使うことです。
・大局観によって、自分の過ちや人の強みから学ぶことができます。
・行動の短期的な結果と長期的な結果の両方を判断できます。
・ストレスやトラウマの悪影響を和らげてくれます。

振り返ろう

大局観を強化する方法 WHAT WHY HOW

大局観の強みを振り返りながら、以下の質問について考えてみましょう。

・視点を変えて問題を捉えたことで、自分や周りの人達に一番貢献できたのはどんなときでしたか？
・大局観を発揮しにくい場合に、どのような努力をして全体像を捉えようとしましたか？
・客観的に観察して大局観が得られても、行動が伴っていないと思ってしまうことはありますか？　どうやって観察と行動のバランスを取ったり、大局観を抑えたり発揮したりしていきますか？
・自分の大局観を一番発揮しやすかったのはどんなときですか？
・大局観を共有できなかったはどんなときですか？

強み探し

42歳の弁護士、ジェイソン・Zさんの例を見てみましょう。

離婚の手続きを進めていた妹は、いつも私に助けを求めてきました。弁護士の私から法律的なアドバイスを求めていただけではありません。人生の様々な問題についてアドバイスが必要だったからです。

必死になって前向きに生きようとしていた妹に、一番大切なものを思い出すように伝えました。子どもたちが色々乗り越えられるように力になること、仕事を頑張ること、自分の時間を取ることなどです。

テレビや家具を夫に取られてしまうのを気にかけていた妹でしたが、私の話を聞いて、もっと大切なことに目を向けられるようになったのです。

弁護士としての仕事にも、大局観がとても役立っていると思います。過去に担当した案件との類似点を比較して、クライアントの問題を大局的に捉え、相手にとって最良の策を伝えていきます。相手の状況に合った方法で適切な助言をして、徹底的に説明するように努めています。

私は、昔から熟慮型の人間でしたが、何かに飛びついてしまうことがないとは言えません。それでも何かしてみたくなったときは、自分の過去の経験、両親から学んだこと、過去に読んだものに照らし合わせてじっくり考えてから、行動に移していきます。プライベートでも仕事でも、それが自分の行動方針になっているのです。

行動しよう

人間関係

・親しい人に適切なアドバイスをしているときの自分をチェックしてみましょう。相手に自分が捉えた全体像を伝えると、どんなメリットやデメリットがありますか？ どうすればもっとうまく、全体像を共有できるでしょうか？ 逆に共有できなかったりするでしょうか。
・自分の大局観が身近な人にどんなふうに役立ったり役立たなかったりしているのか聞いてみましょう。
・何か悩みがありそうな友達に注目してみましょう。その友達が受け入れてくれそうな場合、違う視点から悩みの対処法を提案してみましょう。

職場

・職場で揉め事や問題を抱えている同僚に話しかけてみましょう。その同僚が視点を変えて問題に対処できるように力になってあげたり、具体的なアドバイスをしたり、話を聞いてあげたりしてみましょう。
・仕事で難しいプロジェクトがある場合、直接参加していない同僚や顧客のような多くの情報源から客観的な意見を募って、広い視点で望みましょう。
・未来に目を向けて、実行可能なことを見極めなくてはならないことがよくあります。一歩下がって全体像を見極めるときには、大局観が必要なのです。組織の理念を考えるときにも役立ちます。プロジェクトに取り組んだり、チームと協力したり、日常業務をこなすときに、心に留めておきましょう。自分の活動が組織の目的に合致しているのか、目的を追求するのにもっと良い方法はないか。そんなことを意識して行動してみましょう。

コミュニティ

・自分のコミュニティをただの地図上の境界線ではなく、企業、住宅地、公園、土地、水、木、動物、人を全て含めた1つの共同体として捉えてみましょう。そして自分の暮らすコミュニティの性格的強みに注目し、名前を付けてみましょう。それは、親切心に溢れた公平なコミュニティですか？　創造力に溢れた好奇心の強いコミュニティですか？　それとも慎重ながらも勇気のあるコミュニティですか？

自分自身

・個人的な問題について大局観を持っている人と会話をしている姿を想像してみましょう。自分が相手にどんな質問をするか、お互いのやり取り、相手がどのようなアドバイスや答えをくれるかなど、全ての会話を想像してみましょう。そうすると自分の大局観の強みを自分自身に役立てる方法がわかってきます。

バランスを取ろう

大局観が発揮できていない場合

細かいことに夢中になったり、不安やストレスに圧倒されたり、現実に周りに起こっていることに無頓着になったりして、全体像を見失ってしまうことは容易に起こります。

「人助けなんてしたくない」「自分には価値や資格もない」「怖気づいてしまった」「自信がなくなった」「感情やストレスが強過ぎて冷静に状況を把握できない」など、そんなふうに、大局観を発揮できなくなってしまう理由は山ほどあります。

家族関係がその典型的な例で、全体像が見えなくなってしまうことが多い場所です。それを防ぐには予め対策を練っておく必要があるかもしれません。前もってより効果的な揉め事の対処法を考えておくと、家族が揃ったときに上手く対処できるかもしれません。

大局観の出し過ぎ

「大局観は発揮し過ぎることはない」という人もいるかもしれません。しかしどんな強みでも、出し過ぎると別物になってしまいます。大局観を使い過ぎて、威圧的になり過ぎてしまうこともあります。

「アドバイスなんて求めてもいないし、話を大きくして欲しくもない」と思われてしまうこともあります。例えば、スピード違反の切符を切られた人に、法治社会で警察がどれほど大事な役割を果たしているのか演説ぶってしまったら、ありがた迷惑になってしまうでしょう。必死になって知ったかぶりをしている人だと思われてしまって、全く聞く耳を持ってもらえず、「うっとうしい人」というレッテルを貼られてしまいかねません。

大局観を出し過ぎる人の中には、自分が自分でない別の人、例えば賢人や勇気づけてあげられる心理学者や、励ましてくれる話し相手になろうとしている場合もあるでしょう。

そんな場合に、社会的知性を使えば、人の気持ちや反応を読み取る力になってくれます。知的柔軟性を使えば、詳細に注意を払い、状況に合わせて理性的に行動ができる力になってくれるのです。

全体像を捉えようとして現実離れしてしまう人もいます。そうなると詳細が見えなくなって問題を解決しにくくなってしまいます。人生に行き詰まってしまった人、人生の方向性がわからなくなってしまった人が、大局観を持ち合わせている人に助けを求めることもあります。そんなときに大局観を発揮し過ぎると、具体的な問題解決にならず、最悪の相談相手になってしまうのです。

カウンセリングの教授を引退した64歳のジュディ・Hさんの例を紹介しましょう。

私は昔から哲学や神学に魅了されてきました。何年も経ってようやく、自分が人に押し付けがましい態度を取っているのに気づけるようになりました。

何年も読書クラブの会員だったのですが、みんなで大事なことを議論して、1人1人がその問題について発言している中で、私が話を脱線させてしまうことがありました。

みんなが本の中の登場人物の対立について話しているのに、私が老子やガンジーのような賢者が「対立」について語った言葉を引用して議論を脇道に逸らしてしまって、周りの人たちが反応に困ってしまうことがありました。

会員の1人に指摘してもらって、ようやく自分が患者さんとのカウンセリングでも同じことをしてしまっていることに気づき始めました。患者さんが知りたかったのは妻や夫との関係にどう対処したらいいのかということだったのですが、私は人間関係の本質を説こうとしてしまっていたのです。それが本当に役に立つこともあったとは思いますが、患者さんを助けることではなく自分に興味があるものを優先してしまっていることもありました。

大局観の最適な使い方：黄金律

大局観のモットー

人にアドバイスするときは、関連する様々な観点を考慮に入れて、自分の経験や知識を使うことで、全体像を明確化する

想像してみよう

友人が自分のところに悩み相談にやってきた場面を想像してみてください。

失職・配偶者との喧嘩・経済的な問題などが悩みの種になっているのかもしれません。相手の痛みに共感できるあなたには、すぐに「人生はまだこれからだ」とか、「事態が悪化することはあるけれど、近い将来やり直せる可能性がある」といった全体像を把握できます。

しかし相手にそれを伝えるのは時期尚早だと考えて、一緒に座って、自分が話をするのではなく相手の話に耳を傾けるようにします。

思い切って難しい質問を投げかけて、そこから気づきが得られるようにしていきます。しかし同時に相手が難問に圧倒されてしまわないように配慮することも忘れません。相手の現在の苦しみを誇張したり否定したりせずに、希望をもたらしてくれる方法を見つけながら、自分の社会的知性と親切心を使って、繰り返し相手の気持ちが正しいものであることを認めてあげます。

当面相手がどんな手段・方法を使って対策していけるのか確認して、継続的に相談に乗って、支えていくようにしましょう。

VIA・6つの美徳

勇気の美徳

自分の意志力で逆境に立ち向かうのに役立つ強み

「勇気の美徳」とは、自分の意志と関連しています。つまり自分の中にあるネガティブな考えや意見が合わない人を物ともせず、目標達成のためのモチベーションを見つけることなのです。

勇気という美徳には複雑で理解し難いところがあります。「勇気」と「勇敢さ」が同じような意味で使われていることも多いので、なんで勇気が美徳で、勇敢さが性格の強みになっているのか、不思議に思う人もいるでしょう。

後で細かく説明しますが、勇敢さは特定の行動と関係があります。**「リスクがあったり恐怖を感じたりしてはいるが、正しいことだと分かっているので行動を起こす」という場合には、必ず勇敢さを発揮しています。**これから説明する3種類の勇敢さ（肉体的・精神的・道徳的）に共通するのは、リスクや不確実性に直面しても、行動を起こして事態を改善することを選択することです。

では、勇敢さは勇気とどう違うのでしょうか？

ＶＩＡ分類での**勇敢さは、「勇敢な行為」のこと**です。勇気のほうは、より広義なもので、必要なときに勇敢に行動できるようにしてくれる**「生きる態度や生き方」**のことです。

また、勇敢な行動を起こすには、どんな障害に直面しても目標を貫き通す意志が必要になるため、「忍耐力」や、真実を大事にする姿勢が必要不可欠となるため、「誠実さ」も含まれています。人生への情熱・楽観主義・エネルギーといった「熱意」も必要な要素です。

VIA分類の「勇気のある人」は、勇敢さが求められていないときでも、率直で信頼できる人に映ります。

最後に1つ、勇気について注意点があります。

恐怖と不安は、勇気ある人を見極める上でとても大切になります。不安をほとんど感じない人もいますが、そのような人がリスクを冒す傾向があるのは、「やってはダメだ！」という内なる声が存在しないからです。そんな人が「無謀で衝動的な愚か者」というレッテルを貼られてしまうのは、珍しいことではありません。

勇気のある人はきちんとリスクを評価し、ネガティブな結果を適度に恐れているので、軽々しく勇気を持って行動に移すようなことはしません。

つまり、**恐れよりも行動しようとする深い意志が大きいときに、勇気が生まれるのです。**「自分の行動を抑えるより、実行した方が良い結果になるだろう」という考えこそが、勇気の源となります。

VIA・24の性格の強み

勇敢さ ―BRAVERY―

勇敢さについて知っておくべきこと WHAT WHY HOW

勇敢さとは、難題や脅威、困難に立ち向かっていくことです。人から認められようが認められまいが、目標や信念を大切にし、それに基づいて行動していくことになります。その核になっているのが、「恐れから逃げる」のではなく「恐れに正面から向かっていく」態度です。

勇気には**少なくとも3種類**あります。1つ目は、兵士や消防士のように、体を張って危険を冒すという「**肉体的**な勇敢さ」です。2つ目は、「**精神的**な勇敢さ」で、自身の精神的・感情的な悩みや対人での悩みに直面したときに発揮されるものです。**勇気を持って自分の弱さや問題を認め、人に話し、必要があれば助けを求めていきます。**3つ目は、「**道徳的**な勇敢さ」、つまり正義を主張することです。

恵まれていない人や自分を守ることができない人のために立ち上がったり、集団の権利を擁護しているグループで発言するときに発揮されます。そういった勇敢さの中で発揮できるのが1つだけという人も珍しくありません。

例えば、「戦地では英雄でも私生活ではリスクを恐れる」「社会的正義のために戦っても、自分の人間関係に関する不安には立ち向かわない」といったようなケースです。

勇敢だからといって、恐怖心がないわけではなく、恐怖・リスク・不確実性を感じていてもそれに負けずに行動しようとする意志が必要です。つまり行動意欲が恐怖を上回って立ち上がっていけるのです。

また、直面している恐ろしい状況が、燃えている建物に入って人を救出するといったような、誰にとっても脅威や恐怖とみなされるようなものの場合、「**世間的**な勇敢さ」と言われます。閉所恐怖症など、あまり一般的ではないけれども自分にとっては恐ろしい状況に直面した場合には、「個人的な勇敢さ」になります。

勇敢さが発揮される例としては、同調圧力に抵抗して酒や薬物に手を出さないこと、年下をいじめている子に立ち向かうこと、重病でも辛さを見せないこと、価値のある社会的大義のために声を上げること、昇進に影響したとしても、職場倫理に反する行為を告発することなどが挙げられます。

勇敢に行動する人が自分の勇敢さに気づいていないことがよくあります。人に勇敢さをきちんと説明されたり指摘されたりして初めて、自分の行動と勇敢さを理解し、関連付けることができるようになります。このことからも、既に説明した「強み探し」の重要性がわかります。

勇敢な人は、未知の世界に向かい、曖昧さに対処し、リスクに対峙していくことに慣れていることでしょう。これが勇敢さという強みの一部となっていることが多いのです。勇敢さを最高に

勇敢さ

発揮しているときは、正義感に基づいて行動を起こし、途中で恐怖や反対が生じても、それに立ち向かっていけるのです。

勇敢さが大切である理由 WHAT WHY HOW

勇敢さの強みがもたらす効果についての研究成果には、以下のようなものがあります。

- ・人と親密な関係を築くのには脆さが伴いますが、勇敢さを発揮すれば、親密な関係を構築して維持するのに役立ちます。
- ・勇敢さは、蔓延する虐待や不正の連鎖を断ち切るのに役立ちます。
- ・勇敢さを発揮して、課題を乗り越え、能動的に対処するスキルを身につけることで、レジリエンス（適応能力）が強まります。
- ・勇敢さには、「行動を起こすこと」と「リスクを冒すこと」が必要になります。この２つは人が成長して成功を収めていく上で、欠かせない要素です。
- ・勇敢さとは、間違いや不正に対して声を上げることです。そのような行動が、やがて大きな長期的利益を生み出し、他の人たちに大きく貢献していくことも少なくありません。そういった行動で信頼も生まれます。

勇敢さを強化する方法 WHAT WHY HOW

振り返ろう

勇敢さの強みを振り返りながら、以下の質問について考えてみましょう。

・勇敢さはどのような形で表に出てきますか？　例えば、身体的リスクを冒す、反対意見の多い主張を支持する、感情的に脆くなる、型にはまらない考え方をするといった具合です。
・勇敢さを発揮することで、人生にどんな好影響、または悪影響がありますか？
・どんな風に勇敢さを発揮すると、評価が得られますか？
・勇敢さを発揮して、心配されたり、経験や機会を逃してしまうのはどんなときですか？
・過度のリスクを冒さずに済むために、勇敢さをどうコントロールしますか？
・自分のイメージにとって勇敢さはどのくらい重要ですか？
・勇敢さのそのモチベーションとなっているのは何ですか？

強み探し

28歳の看護師、リータ・Bさんの例を見てみましょう。

昔から勇気は私の一部です。学校でからかわれている子を見たり、利用されている子を見たりすると、腹が立って仕方がありませんでした。我慢できずに、間に入っていじめっ子に自分の考えを伝えていましたね。私はかなりたくましい子どもで、運動神経も良かったので、口出ししてくるような子はいませんでした。小柄だったら、途中でひどい目に合っていたかもしれませんね。

立ち上がって自分が正しいと考えることを伝えていく姿勢は、病院での仕事への取り組み方に大きく影響しています。

医師や看護師が患者さんに合わないアドバイスをしてしまうことがあります。仕事に忙殺されてしまって、情報をきちんと把握できていないからです。私は患者さんと密接に関わりながら仕事をしてきているので、人がおかしなアドバイスをしてしまっていることに気づけます。その場で割って入って、「ねえ、それっておかしいよね！」などと口にすることはありません。口には直接しないで、考え直すようにお願いします。なかなか受け入れてもらえないこともありますが、きちんと説明すれば、ほとんどの人が間違いに気づいてくれて、一緒に問題を解決することができるのです。これは、患者さんへの大切なサービスの一環だと考えています。

行動しよう

人間関係

・親しい人（あるいは親しくなりたい人）について考えてください。勇敢さを発揮して、相手に褒め言葉（ポジティブな感情が湧いてくるようなこと）を伝えてみましょう。緊張しても、自分ではなく相手の気持ちに集中するようにしましょう。

・パートナーとの関係について自分が恐れていること（関係が深まることへの恐れ、相手が自分から離れてしまうことへの恐れ）の中から1つ選んで話し合ってみましょう。パートナーには伝えづらいと思ったら、その恐れを日記に書いてみましょう。

・自分が友人関係で抱えている心配事の中で、友人の幸福度に影響しているものに注目したり、勇敢さを発揮して、その心配事を友人に伝えたり、どうやって伝えるのかじっくり考えたりしてみましょう。その場合、社会的知性、大局観、親切心などの強みを合わせて使って、うまく伝えて下さい。

職場

・結果が見えないものに挑戦しようとする場合は、勇敢さを発揮しています。例えば、プロジェクトでもっと責任を負ったり、自分にとって難しい挑戦を伴うプロジェクトに着手したりするような場合です。

・これまで避けたり先送りにしてきた作業に真正面から取り組んでみましょう。勇敢さを発揮して、挑戦に突き進んでみましょう。

・不正行為、露骨な非倫理的行為、権力や財源の乱用があった場合、正当な手続きを経て報告しましょう。

コミュニティ

・自分のできる範囲で勇敢な行動を取ったらどんな結果になるのか考えてみましょう。例えば、自分が手を差し伸べたことで恩恵を受ける人のことを考えたり、自分が行動したことで生じる好影響について考えたりしてみましょう。

・自分のコミュニティで、勇敢さを発揮したロールモデルについて考えてみましょう。刺激を受けたり、文字や発言、抗議運動への参加、活動家団体に加わったりするなどの崇高な価値観や大義を支持できるようになりましょう。

・コミュニティの会合で発言したり、支持者の少ない意見を大衆メディアに向けて書いてみましょう。

自分自身

・勇敢さを発揮して、自分だけが怖がっているものに対処してみましょう。勇敢さと、他の特徴的強みなどの自分の持つ最大の処理能力を使って、少しでも対処したり、克服したりできるようになっていきましょう。

バランスを取ろう

勇敢さを発揮できていない場合

勇敢さを発揮できないと、正しいと信じていることに向かっていけなくなってしまったり、楽な方に逃げてしまったり、プレッシャーに負けてあきらめてしまったりすることがよくあります。そうすると、偽りの姿のまま生き続けることになってしまいます。本当の自分を完全に発揮できず、勇敢さが十分に発揮できなくなってしまうことは誰にでもあります。

もっとひどくなると、臆病になってしまったり、怖気づいてしまったりすることさえあるのです。どんな行動が取れるのかわからないまま勇敢さを使いきれず、ただ受け身で、ひたすら同じことを繰り返しながら生きる羽目になってしまうこともあります。行動を起こすという発想にならないのです。もちろん自信のなさがその要因になっていることもあります。

状況によって勇敢さを発揮できる場合もあれば、発揮できない場合もあります。例えば冒頭でも説明したように、仕事では信じられないくらい勇敢な警察官でも、自分自身の脆さや弱さを直視できないこともあります。

勇敢さの出し過ぎ

勇敢な人の「弱点」を見極めるのは難しくありません。すぐに一線を越えて危険を冒して、窮地に陥ったりするからです。窮地に陥らないにしても、強引、挑発的、頑固といったようなレッテルを貼られてしまうこともあります。

危険を冒してスリルを味わうことに勇敢さの魅力と喜びを見出している人もいます。こうなると「アドレナリン中毒」になり、快感を求めてどんどんリスクを高めることになってしまいます。リスクを冒し過ぎてしまうのは、自信過剰の表れです。知的柔軟性を使いこなせずにリスクをきちんと評価できないこともあります。

こうなると、当然ながら人間関係に悪影響が生じ、パートナーが不安になったり、無駄に窮地に陥るような結果になってしまいかねません。

正しいと信じることを実行するのは勇敢さの核になってはいますが、時と場所は選ばなくてはいけません。自分の主張を押し通そうとしてしまうと、周りの人たちから拒否反応が返ってきます。結局自分も自分の考えも拒絶されてしまいかねないのです。

勇敢さを発揮するには、慎重に計画を立てる必要があります。行き過ぎだとわかったら、自律心を発揮して引き下がることも大事です。さらに、周りの人に愛情と親切心を示すように心がけると、自分の思いが伝わりやすくなります。

22歳の主婦、レーシー・Tさんの例を見てみましょう。

いじめられっ子だった私は、歳を重ねるごとに、自分や周りの人を食い物にするような態度は許さないと心に決めていました。

そのため、間違ったことをしている人がいれば割って入り、思いの丈をぶちまけて相手をムキにさせてしまうことがあったので、自分を抑える必要がありました。

自分が間違っていることもありますし、自分が正しいとしても、ぶつかっている相手に配慮する必要もあると思えるようになったのです。そんな人と一緒に仕事をしたり、一緒に授業に出席したりすることもあります。

その場合、相手を尊重しなければいけません。勢い余って「それはおかしい‼」と言い放ってしまうことがあるのは問題です。機転を利かせて、「喧嘩を売られた！」と思われないようにしないといけないことがあるのは、私にもわかっています。

それでも行動したい衝動が大き過ぎて理性が追いつかないことも。

勇敢さの最適な使い方：黄金律

勇敢さのモットー

信念に基づいて行動し、疑いや恐れがあっても、脅威、挑戦、困難、痛みに立ち向かう

想像してみよう

対話集会で、意見が割れる議題について話し合っている状況を想像して下さい。大多数の市民が賛成している中で、自分は反対意見だとします。自分の選択の方が道徳的に正しく、多くの人にメリットがあるという確信がありますが、緊張から中々手を挙げて発言できません。

しかし、状況を見ながらタイミングを見計らって、自分の意見を伝えていきます。力強く自分の主張を伝えはしますが、反対意見の人たちを攻撃したり中傷したりすることは控え、真実を直接伝えるのが難しくても、最後まで正直に自分の気持ちを伝えていきます。

そんな場合、大局観を使って、対話集会の全体像を捉えるようにすると、自分もグループの一員であることがわかってきます。マインドフルな呼吸をして、「社会の大義に向けて一歩を踏み出そうとしている」という期待感を保つと、緊張感も和らぎます。

VIA・24の性格の強み

忍耐力 —PERSEVERANCE—

忍耐力について知っておくべきこと WHAT | WHY | HOW

忍耐とは、始めたら継続していくこと、障壁や障害が生じても頑張って最後までやり遂げることです。

仕事やプロジェクトをやり遂げることで得られる喜びは、忍耐力の高い人にとって、とても重要でしょう。

忍耐力を発揮するには、計画を立てて自分の活動を後押しすることも必要で、自分の内側から意志の力を奮い起こして、諦めたくなる気持ちを乗り越えていかなくてはならないのです。例えば、計画した休憩時間をきちんととって、途中で自分に小さなご褒美を与えてあげたりするのです。

他の強みが役に立たない場合でも、この強みがあればプロジェクトを最後まで頑張り抜いていく力になってくれます。さらに自信が高まると、成功や目標達成への自信が確固としてものになっていきます。

退屈だったり、フラストレーションが溜まったり、困難が伴ったりすると忍耐力を発揮しにくくなります。このような障害を「学びを深めるチャンス」や「やりがいのある課題が増えた」と捉えて乗り越えようとしたり、少なくとも障害を無視したりすることも、忍耐力の強みの美しさの1つでしょう。

忍耐力のある人は、自分が失敗するのは運が悪いからではなくて、努力が足りないからだと考える傾向が強く、強い意志で自分や仕事の目標を達成していくことを重視します。

忍耐力には、**「大きな努力」**と**「持続的な努力」**という2つの重要な側面があります。ただがむしゃらに頑張るだけではなくて、長期間頑張り続けることができるのです。

忍耐力を最大限に発揮しているときは、短期的な目標と長期的な目標の両方を念頭に置いて、近道をせずに内的・外的な課題を克服していきます。そんな中で、目標達成に必要なエネルギーとモチベーションを適度に維持しながら、過程全体を楽しんでいけるのです。

忍耐力が大切な理由 WHAT WHY HOW

忍耐力の強みについての研究成果には、次のようなものがあります。

・忍耐力は、スキルや才能、資質を高め、ほかの性格の強みを鍛えるのに役立ちます。
・人生への自信、自分次第で効率的にやり遂げられるようになる気持ちが高まります。
・忍耐力のある人は、頼りがいがあり、最後まで約束を守る人と思われることが多いようです。そのためチームの中で貴重なメンバーとなって、信頼を築き、良い人間関係を築いていけます。「信頼性」は、人を評価する上で、とても大事な特質の1つなのです。

・完璧さを追求せずに課題を終わらせることに集中できるので、しなやかさや自制心が磨かれます。

忍耐力を強化する方法 WHAT WHY HOW

振り返ろう

自分の忍耐力の強みについて振り返りながら考え、以下の質問に答えてみましょう。

・忍耐強く作業するのが億劫にならず、面白くてたまらなくなるのはどんなときですか？
・忍耐力の原動力になっているものは何ですか？
・障害になるのは何ですか？
・他からどんな影響を受けると、自分の忍耐力が高まったり、萎えたりしますか？
・忍耐力を発揮して成功すると、その後の難題の取り組み方に変化はありますか？
・他にどんな性格の強みを使うと、プロジェクトで忍耐力を発揮しやすくなりますか？

強み探し

52歳の航空パイロット、キャシー・Jさんのケースを紹介しましょう。

忍耐力は私の人生の代名詞です。若い頃の私は、「カーレースなんてやめておけ。女がやるものじゃない！」と言われました。もちろんそんなことを言われて諦めるような私ではありません。昔のことですが、女子団体レースで3つの世界記録を樹立したこともありますよ。隊列レースの女性最多参加数の記録を作ったことも何度かあります。

1年前に姉が亡くなった悲しみを乗り越えようと、世界記録を追い求めていた私を、誰も止めることはできませんでした。

私がパイロット人生で受けた認定飛行のほとんどは、大変なものでした。「女だしチビなんだからやめておけ！」と言われたものです。ひっきりなりに嫌がらせを受けていました。私は当時副操縦士として、厳しい訓練を受けていましたが、有能で賢くても、航空会社の訓練では限界に挑戦しなくてはなりませんでした。世界で女性の機長は1000人にも満たないと聞いていましたが、ひたすら忍耐力で乗り切りました。

そんな激しい性格は生まれ持った強みなのかもしれません。人によっては容姿や才能の輝きだけで人生を切り開いていく人もいます。それもある程度はわかってはいました。しかし私は努力して人生を切り開いていくと決めていたのです。私は5番目の子供でしたが、両親も5人目になると「放っておけば大丈夫だ」と言っていましたね。両親もベストを尽くしてくれましたが、好きなようにさせてくれたので、私は猪突猛進の人生を歩んでいくようになりました。

何か問題が起こったり、辛いことが起こったり、ひどいと思うことが起こったとしても、それは「間違い」ではなく、目標に到達するためのプロセスの一部に過ぎません。忍耐力を発揮するにはそう考えるのが大切だと思っています。

行動しよう

人間関係

・人間関係で挫折して、相手から離れたいという衝動に駆られたら、それを機に真正面から取り組んで、相手との関係を前進させる方法を考えてみましょう。

・親しい人のためにしようと思っていて先延ばしにしてしまっていることを考えてみましょう。例えば、電話をかける、ちょっとしたプレゼントを買う、何か作ってあげる、といったようなことです。頑張って取り組んで完成させてみましょう。2人の関係にとってプラスになるという気持ちを忘れずに。

職場

・忍耐力を発揮できれば、問題が生じても、最後まで頑張り抜いて目標を達成できるようになります。同僚に進捗状況を定期的に報告するようにして、プロジェクトや難しい作業で忍耐力を発揮するようにしましょう。

・完璧さよりも努力を重視しましょう。プロジェクトで苦戦しているときは、最終結果に完璧を求めるのではなく、最善を尽くすことに焦点を当てるようにしましょう。

・今日の仕事の目標を新たに立ててみましょう。目標を達成する障害になりそうなものを2つ考えて、それを乗り越える方法を考えてみましょう。

コミュニティ

・自分のコミュニティにいる忍耐力のある人を手本にして、どうやったらその人の真似ができるのか考えてみましょう。

・コミュニティのプロジェクトで、週ごとに小さな目標を決めましょう。具体的な手順に分けて、予定通りに実行し、1週間ごとに進捗状況を確認しましょう。

自分自身

・悪い癖や弱みのような、何とかしたい個人的な課題を挙げて、その癖や弱みを断ち切る方法を考えてみましょう。

「この問題でもう少し忍耐力を発揮したらどうなるのか？」という問いをぶつけてみてください。

バランスを取ろう

忍耐力が発揮できていない場合

退屈、怠惰、無気力が見られたら、忍耐力が発揮できていない証拠です。無力さを痛感して、自分ではどうしようもないという思いを抱えてしまうことが多少なりともあります。また、諦めの早い人もいますが、これは、目の前のテーマや企画に自信が持てないことや、知識、技術が足りていないことが原因かもしれません。**忍耐力が出せないと、無力感、絶望、不運という「鬱の3要素」が出揃ってしまうことがあります。**

忍耐力が特定の分野に限って発揮されないことがあります。教室の中で発揮できない人もいれば、職場や親密な関係の中で発揮できない人もいます。

これは、その状況をどれだけ自信を持ってコントロールできているかという気持ちを反映していることが多いのです。

目標を高く設定し過ぎることでしまうと、忍耐力が発揮できなくなることがありますから、注意しましょう。

目標を高く設定しすぎて失敗に終わってしまうと、自信がなくなって将来忍耐力を発揮できなくなってしまうかもしれません。作業を細分化して処理しやすい状態にしてから取り組むようにすると、成功体験を味わいながら継続していけます。

忍耐力の出し過ぎ

状況によっては、忍耐力を発揮し過ぎてしまうと、意地を張って強引に突き進んでいこうとしてしまうことがあります。

前項で伝えたように、目標が高すぎるせいで、忍耐力が過剰使用になってしまうこともあるのです。

目標に到達できないのが明確な場合には、諦めるのが賢明な策でしょう。家族・人間関係・自分を犠牲にしてまで働いてしまうような人であれば、そんな状況に心当たりがあるのではないでしょうか。

関係維持のために、忍耐力を使い過ぎてしまって、その関係が有害だったり、継続不能だったりすることに気づかない人もいます。

そんな場合には信頼できる人からフィードバックをもらうようにするのが大切です。それによって大局観を持ち、勇敢さを発揮し、自分自身に誠実でいられるようになり、忍耐力を出し過ぎることがなくなっていきます。

36歳の投資銀行家のマーゴット・Tさんが、忍耐力の出し過ぎについて語ってくれました。

私はこれまで色々成功してきましたが、その根底には忍耐力があります。しかし忍耐力にはマイナス面もあります。ランニングマシーンに乗って次の目標に向かってひた走っているような状態になってしまって、周りにあるものを楽しむ余裕がないのです。幼い子どもたちを授かった今は、ある程度広い視点で考えられるようになって、昔のように何かに取り憑かれたかのように走り続けることはなくなりましたね。次の成功がすべてではないと思えるようになりました。自分の価値を証明するために、家族が成し遂げたこともないことをやろうとしていたのかもしれません。

今はもっとバランスが取れていますが、そんな「昔の自分」が出てこないように気をつけているので、選択を誤って執拗に何かを追い求めるようなことはしていません。

場合によっては諦めるほうがよいこともあると気づくようになりました。夫と出会う前、恋愛で苦労したことが何度かあります。振り返ってみると、精神的に虐待されることもあったと言えるかもしれません。上手くやっていけると自分に言い聞かせて、上手くいっていないときには自分を責めてしまうことさえありました。頑張りさえすれば、いい関係にしていけると思っていたのです。仕事でも同じでした。自分に合っていないのは火を見るよりも明らかなのに、辞めなかったのです。

忍耐力の最適な使い方：黄金律

忍耐力のモットー

障害があったり、落胆したり、失望したりしても、諦めずに自分の目標を追い続けていく

想像してみよう

家族や仕事のために長期的な大規模プロジェクトに取り組んでいる姿を想像してみてください。

この大事なプロジェクトを達成するには、忍耐力を相当発揮する必要があります。思慮深さを使ってプロジェクトを細分化し、リーダーシップを発揮して作業を割り振り、希望を持ってプロジェクトの行き先を見失わないようにし、勇敢さを持って困難に立ち向かい、熱意を発揮してワクワクしながらエネルギッシュにプロジェクトに取り組めるようにしていきます。

忍耐力を発揮してやり抜きたいという気持ちが高まると他の強みを活性化していきます。課程に障害があるのも当然のことだと考えましょう。

誠実さ ―HONESTY―

誠実さについて知っておくべきこと WHAT WHY HOW

正直な人は真実を語ります。もっと広い意味では、偽ることなく誠実に、自分の感情や行動に責任を持って自分を表現していきます。誠実で裏表がなく、家の中と外で行動が一変することもなく、人生の様々な場面で一貫した行動を取ります。そのため自分にいつも忠実であるという思いがあります。

友人、親、子ども、配偶者、隣人、上司、部下、同僚、ボランティアなどの様々な役割を社会で果たしていく中で、性格の強みは複雑になり、自分の価値観を守り抜いていくのはとても難しくなっていきます。このことからも、誠実さという強みが複雑なものであることがわかります。

しかし誠実さが矯正力となって、適切な判断を下せるようになります。**簡単なことに逃げるのか、正しいことを選択していくのか決めなくてはならない場面で、最も発揮される強みです。**

誠実さは、特に親密な関係の中で評価されるもので、健全なコミュニケーションと親密な関係の柱になっています。誠実な人は約束を守ります。誠実さを発揮して強固な人間関係を築いていく中で、周囲から信頼できる、頼りがいがある人と思われていきます。

誠実であることは、「本物である」ということです。誠実さを十分に発揮していると、自分の価値観と矛盾した行動を取ったり、自分を偽ったりせずに、本当の自分を貫いて表現することができます。そうすると、偽りのない本当の自分の姿が映し出されて、その姿が周りの人たちに伝わっていきます。

誠実さが大切な理由 WHAT WHY HOW

誠実さの強みについての研究成果には、次のようなものがあります。

・誠実な人は、信頼できる人と普通見なされるため、健全で良好な関係を築いていくのに役立ちます。
・誠実さを発揮すると、自分にとって本当に価値があって興味が持てる目標が明確になります。
・自分の行動に責任を取ることで、自分の人生をコントロールできているという感覚が強まります。
・誠実さを発揮することで、自身の能力と意欲を自分に対しても他人に対しても、より正当に評価することができます。

振り返ろう

誠実さの強みについて振り返りながら、以下の質問を考えてみましょう。

・プライベートや仕事での人間関係で、どの程度約束や取り決め、譲歩を大事にしていますか？
・ミスをしたとき、すぐに責任を取って謝れますか？
・罪悪感を和らげようとして、言い訳をしたり、人を責めたり、自分の責任を過小評価したり、屁理屈を並べて事実を直視しないことが、どのくらいありますか？　そうしてしまうときに自覚はありますか？
・どうやって人にフィードバックしていますか？　フィードバックは建設的、直接的、それとも挑発的なものですか？　周りの人が自分の思い通りに扱ってくれない場合でも、黙ったままでいますか？
・誠実さの手本にしている人はいますか？　どうしたら自分が誠実さのお手本になれるでしょうか？

強み探し

24歳のソーシャルワーカー、キャムデン・Bさんの例を見てみましょう。

正直さが自分の一番の強みだという診断結果が出て、最初は驚きましたが、考えれば考えるほど納得がいきましたね。

若い頃の私は、多くの人がしているような相手に合わせて適当な嘘をつくのが苦手でした。何かしてくれと頼まれても、やりたくなければ、正直にその旨を伝えていました。「ごめん、ちょっと忙しんだ」とか、「名案だけど、今はちょっと無理かな」といったような言い訳をしたくなかったので、ストレートに「ごめん、やる気になれないんだ」と伝えていました。

気に障るようなことを言われたら、いつも相手にその旨を伝えてきました。馬鹿正直だと言われてしまうかもしれませんが。

何より大切なのは、自分に正直になることです。人からネガティブなフィードバックをもらうと、言い返したくなってしまうことが誰にでもあるでしょう。私もそうでしたが、それでも批判を受け止めて、その中にある真実を見出していくのが大事だとわかりました。相手が自分に意見を伝えてくれている場合、間違っている部分があるにしても、一理あることが圧倒的に多いのです。

大学院ではこのことがとても役に立ちました。教授に自分の研究を批判されると、動揺したり一蹴したりする学生もいましたが、私は心に留めようと努めました。それがキャリアを高めることにも役立ちました。

行動しよう

人間関係

・真実の一部しか伝えていなかった家族や友人に、すべて打ち明けてみましょう。
・誰かに率直な意見を求められたら、それに答えてみましょう（相手を思いやるのも忘れずに）。
・誰かに手紙を書いて、これまで伝えたことのない思いを綴ってみましょう。社会的知性を使って考えて、相手のためになると思ったら、思い切って本人に渡します。

職場

・プロジェクトのメンバーに率直な意見を伝えてみましょう。求められたら批判的な意見も伝えるようにしてください。
・同僚との会話で、率直な意見を明確かつ具体的に伝えられているかどうか確認しましょう。率直な表現をせずに脱線したり、責任逃れをしたり、大袈裟に語ったり、話を避けたり、最低限で済ませたりする言い方には気をつけましょう。

・自分を偽らず、情報を正確に伝えるようにしましょう。「本心だけを正直に口にしなさい」を座右の銘に。

コミュニティ

・コミュニティが抱えている問題の中で、真摯に対処されていないと思えるものがあれば、それを文章にしてみましょう。書き記したものを他の人に見せるかどうか検討してみましょう。

自分自身

・自分に誠実でいましょう。自分が向き合ったり話したりするのを避けてきた苦労や悪癖、欠点を1つ挙げてみましょう。もっと誠実になり、その弱点に向き合ってみましょう。

バランスを取ろう

誠実さが発揮できていない場合

人にも自分にも常に100%誠実でいるのが最善の策だとは言いきれません。非難をかわし、辛い感情から自分を守り、恥ずかしい真実を最小限に抑え、色々工夫をして事実を真正面から受け止めないで済む方法を考え出したくなってしまいます。
責任を否定したり、話を大袈裟にしたり、都合のよい理屈をつけて正当化しようとしたりして、メンツを保とうとしてしまうのです。親密な関係では、何でも包み隠さずに伝えていくことが最善の策ではありますが、心の内を明かすのを控えた方がよかったり、本心を明かしてしまうと馬鹿にされかねないような関係もあります。言わないでおいたほうがいいと互いに意見が一致している場合もあります。

社会には、本当のことを言わずに話を進めたり、相手に不快な思いをさせないようにする方が、はるかに楽な状況がたくさんあります。そのような状況では、社会的知性を発揮して、誠実さを抑えるのが適切なのかどうか、どうやってバランスの取れた表現をするのが最適なのか、見極めるようにしましょう。誠実さをもっと発揮すべきかどうか考えることのメリットは、相手の気持ちを考えて誠実さを抑えているのか、それとも嘘をついて楽な方に逃げたいだけなのかが、明確になってくることです。人を傷つけないようにするために「悪意のない嘘」をつくのと、嘘ばかりついたり、都合の良い部分だけ伝えて欺こうとしたり、心の中に生じるそこはかとない拒否感を無視したりするのは別物です。

直接自分の思いを包み隠さず伝えていくのは難しい、と感じる人もたくさんいます。本心を伝えてしまうと、非難されやすくなったり、利用されてしまうのではないかと心配しているのです。

不適切な対処法が身に付いてしまうこともあります。例えば、「感じるな。明かすな。信じるな。」というのを人生のモットーにしている薬物中毒患者がたくさんいます。そうやって誠実さを抑えることで、自分を守れたことがあったのでしょう。しかし大人になるとそれが人間関係の足かせになってしまうため、きちんと対処していく必要があります。

映画「ア・フュー・グッドメン」で、ジャック・ニコルソンが「真実はお前には重すぎる！」と言い放つ場面のように、人のことを決め付けてしまうこともあります。

しかし、気まずくて本当のことが言えない場合に、それを口実にして逃げてしまっていることが多いのです。真実を伝えない方が良いと思ったときは、相手のことを思ってのことなのか、自分を守ろうとしているだけなのか、考えるようにしましょう。

誠実さの出し過ぎ

現代の研究で、どんなに良いものでも使い過ぎてしまうと悪影響を及ぼすことが明確になっています。正直に包み隠さず何もかも打ち明け過ぎてしまうと、人を傷つけてしまいかねません。真実を受け入れる心の準備ができていない人も多いでしょう。

そのような場合でも、事実の一部だけを伝えたり、刺激を弱めて伝えたりするようにすれば、受け止めてもらえるかもしれません。誠実になり過ぎてしまうと、問題が大きくなってしまったり、悪化してしまうことさえあります。

フィードバックの仕方を考えるのも大事な問題です。もしぶっきらぼうに、相手を傷つけるような伝え方をしてしまったら、問題が悪化してしまいかねません。他言しないという条件で誰かから聞いたものを別の人に伝えてしまえば、約束を反故にすることになってしまったり、人の信頼を損ねてしまったりすることもあります。

58歳のコンサルタント兼講演家のハビエル・Hさんの例を見てみましょう。

私にとって人に誠実であることは本当に大事なことですが、行き過ぎないようにする術を身につける必要がありました。

若い頃は人の気持ちを傷つけてしまうことがありましたよ。相手の反応はあまり考えずに、自分の気持ちや考えを相手に伝えることの方を気にかけてしまっていたからです。しかし大人になるにつれて、自分の本心を伝えなくてもいい場合があるということが分かってきました。「やり方が気に食わない」と言うのではなくて、「僕は傷ついたよ」と伝えたり、自分の捉え方に問題があると考えようとしたりするようになったのです。厳しい教訓でしたが、自分にとって大事な教訓になっています。自分は相変わらず誠実だと思いますが、相手にどんなふうに伝わるかいつも考えないといけないと考えています。

誠実さの最適な使い方：黄金律

誠実さのモットー

自分にも人にも誠実です。自分自身と自分の気持ちを正確に人に伝えるよう努め、自分の行動に責任を取ります

想像してみよう

誠実でありのままでいられる人を目指して頑張っている自分の姿を想像してみましょう。あなたは人間関係や職場、コミュニティで、できるだけ一貫した行動を心がけています。真実を伝えていきますが、辛い知らせを伝えるときには相手の気持ちを考えるようにし、率直で明確なコミュニケーションをします。

そして、人目につかないところでも、正直で誠実な態度がぶれることはないので、自分の言葉を信頼します。

仕事関係や友人関係では、上位の性格の強みを使って、積極的に交流します。ときには、誠実さを包み隠さず発揮するのが難しくても、正直に自分の思いを伝えなくてはならないこともあるでしょう。

誠実さに加えて、勇敢さと忍耐力を発揮することで、困難な状況に立ち向かい、親切心と社会的知性を使って自分の思いを人に伝えてみましょう。

自分の弱さや欠点に正直であれば、大局観を使うことで、しかるべきときに非難を受け入れていけます。

誠実さを追求する旅路では、「親切心」という相棒が大きな力となってくれるのです。

VIA・24の性格の強み

熱意 ―ZEST―

熱意について知っておくべきこと WHAT WHY HOW

熱意とは、ワクワクしながら精力的に状況に対応したり、人生を歩んでいくことです。作業や活動にいい加減な気持ちで中途半端に取り組むことはありません。熱意がほとばしる人は、朝ベッドから出ると胸が躍り、人生が冒険となるのです。

熱意があれば、色々な活動に生き生きとして情熱的に取り組めます。

熱意と言うと英語の vitality（活力）いう言葉が思い浮かんできますが、これは「命」という意味の「vita」というラテン語が元になっています。このことからも、熱意があると、心と体共に生き生きとしてきて、人生を満喫できるようになるということがわかるでしょう。ですから心も体も健やかでいられるようにするには、熱意というエネルギーが必要不可欠なのです。

熱意が高い人は傍観者ではいられません。熱意が周りの人たちにも伝わって、熱意を大切にしている人たちが、引き寄せられてくるのです。

このエネルギーは人生の様々なところに広がっていくでしょう。**熱意と「天職を見つけた」という気持ちは繋がっています。**つまり、熱意があると楽しみを感じられるだけではなく、生きる意味や目的が得られるようにもなっていきます。

そして、熱意が最高に発揮されている時、あなたの人生への情熱がバランスよく表れ、自分だけでなく周りの人たちも幸せになり、有意義な関係を築いていけるのです。

熱意が大切な理由　WHAT　WHY　HOW

熱意という強みがもたらす効果についての研究成果には、以下のようなものがあります。

・自分の仕事を天職だと考える傾向にあります。仕事がとても充実し、有意義で、生きがいになっているからです。
・熱意は、幸福感に最も関連する2つの強みの1つで、喜びが増し、積極性が高まり、意味を感じられるなどといった幸福感の要素と強く結びついています。
・熱意を発揮すると、他の人たちが引きつけられ、楽しく意味を感じられる人間関係が発展していくチャンスになります。
・**熱意は「希望」という強みと密接な関係があります。** それは、どちらも前向きな気持ちが強まるものだからです。熱意の方が瞬間的に発揮されるものではありますが、どちらにも未来志向の要素があります。
・熱意があると能力、スキル、才能を十分に発揮することができます。
・熱意は周りの人を鼓舞します。熱意のある人から刺激を受けた人たちは、新しいプロジェクトに取り掛かって、完成させていくモチベーションが湧きます。

熱意を強化する方法 WHAT | WHY | HOW

振り返ろう

熱意という強みについて振り返りながら、以下の質問について考えてみましょう。

・どんな人といたり、どんな場所にいたり、どんな活動をしたりしていると、熱意が引き出されますか？
・どんな状態になると熱意が冷めてしまいますか？
・熱意を発揮すると人生でどんな良いことがありますか？
・どんなふうに熱意を発揮すると、後で悔やむことになってしまいますか？
・健康にいい栄養・運動・睡眠といったような健康習慣を心がけると、熱意を発揮するのにどんな影響がありますか？
・人のエネルギーは自分の情熱や熱意にどんな影響がありますか？　逆に自分のエネルギーは人にどんな影響がありますか？
・**熱意は、よく付加価値的な強みだと言われます。熱意の特性が、ほかの性格の強みと結びついた時に、一番発揮されるからです。**あなたにとって熱意と一番相性が良いのは、どの性格の強みですか？

強み探し

42歳の作業療法士、ピエール・Mさんの例を見ていきましょう。

私は毎日ワクワクしています。ぐっすり寝て、翌朝目が覚めると、どんな1日になるのか楽しみです。それは昔から変わりません。私は良い子で、人気者でした。周りの子たちからは、いつも情熱的で楽しそうにしている、と思われていたからだと思います。情熱的な私のことをからかってくる子もいましたが、気にも留めませんでしたね。気にするどころか、私にとっては、ずっとかけがいのない財産なのです。人とコミュニケーションが必要な仕事ではいつも人気者です。

昔、電気量販店で販売担当をしていたのですが、私の販売商品への思いが伝わって、お客さんにもワクワクしてもらって、商品を買ってもらえることが多かったのです。お客さんが見ている電子機器がいいものだと思えないときは、本音を伝えました。逆にお客さんにぴったりだと思うと、私の熱意がお客さんに伝わることがよくありました。

作業療法士は私の天職です。悲しみを感じながら、体の問題を克服しようとしている、大変な状態の患者さんと関わることがよくありますが、私のエネルギーを感じて、元気になってくれることがあると思っています。家に帰って、自立して、色々こなしていける姿を想像して、ワクワクしてもらえるように努めています。

行動しよう

人間関係

・恋人や伴侶にどんな1日だったか聞いてみましょう。充実した良い1日だったと聞かされたら、興味津々になって、もっと聞かせて欲しいと伝えましょう。

・近しい関係にある人が持つ性格の強みを見つけて、それがどれだけ素晴らしいものなのか、どれだけ感謝しているのか伝えてみましょう。

職場

・職場では仕事を遂行することだけに集中してしまって、熱意を持って作業できていないことがよくあります。いつもの作業を普段より少し精力的に行ってみましょう。その作業のポジティブな面を探して、熱意を発揮できるようにしてみるのです。

・**運動は熱意に良い影響を及ぼします。**職場での作業の合間に、定期的に散歩するようにしましょう。万歩計を使って、モチベーションを維持して、定期的に続けることです。1日

5000歩未満だと座ってばかりの生活習慣で、逆に10000歩を超えると活動的な生活習慣だと考えられます。無理のない目標を設定して、少しずつ歩数を増やして、熱意も高めていきましょう。

・課題や作業が刺激的で楽しくなる方法を考えてから実行するようにしましょう。

・**エネルギー切れと感じたら、休憩を取りましょう。楽しみながらできるセルフケアに取り組みます。**ポジティブな気持ちになって仕事に戻れるようにしましょう。

コミュニティ

・コミュニティの課題に、精力的に取り組みましょう。周りの人を刺激して、同じように精力的に取り組んでもらうことができないか、考えてみましょう。

・コミュニティに参加するとき、カラフルで印象的な洋服、靴、アクセサリーなどを身につけて、外見からエネルギーを表現してみましょう。

自分自身

・自分のエネルギーをユニークな方法で使ってみましょう。例えば、ベッドで飛び跳ねる、足踏み、ヨガ、パートナーとストレッチする、子どもやペットと追いかけっこをするといったような方法があります。

・自分の個人的資質の1つに情熱的になりましょう。自分の中にある優れた資質に名前をつけて、それをじっくりと味わうのです。自分にその資質が備わっていることがどれほど素晴らしいことなのか考え、ワクワクしてみることです。

バランスを取ろう

熱意が発揮できていない場合

精力的に仕事ができなかったり、新しい考えに夢中になれなかったり、身振り手振りが縮こまっていたりしていると、熱意を使いこなせていないのは一目瞭然です。

これは倦怠感、疲労、病気、退屈、興味不足、鬱などの肉体的・精神的な原因のことも。悲観的で批判的な人の周りにいるとか、働き過ぎといったような、社会的な要因が元になっていることもあります。

注意が散漫になったり熱意が下がったりしたら、その原因を探って対処していく必要があります。熱意不足を解決するには、**自分の特徴的強み、自分にとっての一番のエネルギー源と言える強みをもっと使ったり、散歩や運動をするなどして体を積極的に動かしたり、陽気で楽観的な人と一緒にいたりして、もっとセルフケアを実践していくことが大切です。**

熱意の出し過ぎ

熱意に溢れる人の周りにはどんどん人が集まってくることがあるのですが、絶えず熱意に溢れていると、高圧的だと思われてしまうことがあります。朝の早い時間や葬式など、時間や場所をわきまえずに熱意を発揮してしまうと、やり過ぎだと思われてしまいます。

熱意に溢れている人たちが、「熱意があるフリをしているだけだ。あんな熱意はあり得ない」という疑いの目を向けられたり、「テンションが高すぎる。夢中になるにも程がある」と思われてしまうことがあります。最悪の場合、熱意に溢れる行動を取っている人が煙たがられるようになってしまいます。

自分を律しながら謙虚かつ慎重に行動してバランスを取るようにすると、熱意を出し過ぎなくなります。また、熱意が強過ぎて状況に合わない場合には、そのエネルギーをただ抑えつけてしまうのではなくて、他に興味のあることに向けたり、他の自分の長所に向けたりすればいいのです。

ケリー・Gさんという22歳のミュージシャンの例を見てみると、過剰な熱意について色々わかってきます。

僕は昔からずっとハイテンションです。周りにもそう言われるくらいなので間違いないと思います。でもそれは頭の中で物凄い勢いで駆け巡っている色んな考えを理解しようとしているからなんです。自分の思考にブレーキをかけられたらいいのになって思います。どこかでスイッチが切れなくなってしまったんですね。

彼女には「あなたってテンション高過ぎで、周りの人たちにウザいと思われちゃうから、困ったことになるんだと思う」と言われました。

熱意があるおかげで人と繋がれることもありますが、行き過ぎてしまうことがあるのもわかってはいます。そんな状況になってしまうと早口になってしまって、躁状態っぽいと思われることもあります。

でもスピードを落とすこともできますよ。コントロールできないわけではないのです。落ち着くこともできるのです。それでも目立ちはしますけどね。

「ケリーはどうなってるんだ？　なんでいつもあんなにポジティブなんだ？」って言われている気がすることもありますが、彼女は「自分で思ってるほどひどくはないわよ」と言ってくれます。バカみたいなことを試しに色々やってみて、とんでもない大失敗をしていてもおかしくなかったようなこともありますよ。

ただ運が良かったのです。それでも人生も音楽も思う存分楽しめているので、そんな自分を変える気はありませんが。

熱意の最適な使い方：黄金律

熱意のモットー

生き生きとしていて、エネルギーに満ち溢れています。精力的に、情熱を燃やして、人生を歩んでいきます

想像してみよう

今の自分の健康状態はとりあえず置いておくことにして、自分が人生のあらゆる面で大きな熱意を感じているところを想像してみてください。

生きていることに幸せを感じます。人間関係や健康など、周りに価値あるものが溢れていることに感謝しています。心と体の健康にポジティブな要素を見出します。活動的でいられることで、さらにエネルギーが生まれてきます。

健康や活力の面で問題に直面することになったら、勇敢さを発揮して立ち向かい、忍耐力を使って前進していきます。自分の習慣や自然、人間関係といったようなものの中に、すぐに喜びや活力を見出そうとしてきます。ほんの小さなことでもいいのです。

また、体に良くない食べ物や飲み物、疲れる人間関係、無駄な日課といったようなエネルギーを消耗させるようなものは、極力避けるようにします。

熱意のない人も寛容に受け入れていきます。ユーモアを忘れずに現在進行形の事柄に対応し、希望と好奇心を持って未来予想図を描いていきます。

VIA・6つの美徳

人間性の美徳

一対一の人間関係に役立つ強み

VIA分類には、人との接し方に関係する美徳が2つありますが、人間性がその1つで、もう1つは正義です。人間性は一対一の繋がりに関係していることが多いのですが、複数の人との繋がりに無関係なわけではありません。

複数の人が関わってくるような状況では、「正義の美徳」が求められることも多くなります。人間は生まれながらにして、他の人に惹きつけられていくものです。

特に思いやりのある人の場合、そうやって惹きつけられていく中で、人の痛みや気持ちを理解するようになっていきます。相手が思いやりや愛情を感じられるような適切な発言や行動をすることができ、人のために力を尽くしていくのです。相手のことを思いやる気持ちがあるだけで、ときに大きな犠牲を払ったり、寛大に振る舞ったりします。

一方、思いやりがあるように見えても、自分の利益ばかり追求してしまっているような人には、思いやりがあるとは言えません。

例えば、遺産が目的で、高齢の親族の世話をしている人の行動が悪いわけではありませんが、そんな人に思いやりがあるとは言えないでしょう。

人に対して普段取っている行動が大切になってきます。人と深い絆で結ばれているからこそ、思いやりのある行動が取れるようになるのです。

人間性に関係した性格の強みとして、**「愛情」「親切心」「社会的知性」**が挙げられます。

VIA・24の性格の強み

愛情 ―LOVE―

愛情について知っておくべきこと WHAT WHY HOW

数え切れないほどたくさんの歌やグリーティングカードで語られてきた愛情については、ここで紹介するまでもないでしょう。ここではＶＩＡ分類での愛情という強みを明確に定義しておきたいと思います。感情としての愛情ではなく、性格の強みとしての愛情は、どれくらい親密な関係を大切にし、その関係性に温かい心で貢献しているかということです。

親切心は、どのような関係にも活かせる行動パターンですが、性格の強みとしての愛情とは、一番親密で温かみのある関係にアプローチする方法のことです。愛情とは相互関係で、愛する意欲と愛を受け入れようとする意欲の両方を指します。

愛情は強い好意を抱いたり責任を伴ったりするもので、犠牲を払わなければならないこともよくあります。

親子の愛着、友愛や友情、家族愛、恋愛など、人が経験する愛情には様々なものがあります。その他にも、ペットや動物への愛情や、アガペという精神的な愛情もあります。

科学者たちは、このような愛情をすべて感じられるかどうかは、幼い頃に感じた人への愛着で決まってくると考えています。幼児期に確立された愛着のパターンが、何十年も経って、大人の恋愛関係の中で姿を表すことがあるのです。

人を愛することとは、絆を育むこと、つまり相手と温かい絆で結ばれていくことです。この強みは、人間関係を築き、満足のいく人生を歩み続けていけるようにするために必要不可欠です。

愛情の強みを十分に発揮できていると、相手と簡単にポジティブな感情のやりとりができるようになって、交流する中で絆が生まれて、親しみを覚えるようになります。

ほとんど誰でも人生の中で、愛し愛された経験がありますが、愛情が自分の特徴的な強みになっている場合、そのような人間関係があるからこそ、自分が価値ある人間だと思えるようになるのです。

愛情が大切な理由

WHAT WHY HOW

愛情の強みの恩恵についての研究結果には、以下のようなものがあります。

- 愛情を発揮することで人間関係での忍耐、共感、寛容さが培われ、人間関係が健全で長続きするのに役立ちます。
- 愛情に溢れた安定した人間関係は、健康長寿と強く結びついています。
- 愛情は人生の満足感を高めてくれる5つの強みのうちの1つです。
- 愛情に溢れた安定した関係を築くことで、人生の意義と目的意識が得られます。
- 愛情を発揮することで健全なコミュニケーションを取れます。妥協したりうまく揉め事に対処したりできるようになるのです。

・慈しみの心を育む瞑想を実践することで、自分と人への思いやりの気持ちが育まれ、愛情の強みが高まり、心身に様々な好影響があることがわかっています。

愛情を強化する方法 WHAT WHY HOW

振り返ろう

愛情の強みについて振り返りながら、以下の質問について考えてみましょう。

・友人、家族、交際相手や伴侶、同僚といったような人生の様々な分野で大切になってくる人の中で、自分にとって一番大切な人は誰ですか？　それぞれの分野で、どうやって自然な形で愛情を表現しますか？　相手により愛情表現にどんな違いがありますか？

・どんな方法で人に愛情を表現しますか？　相手はあなたの愛情表現をどんなふうに受け取っていますか？

・愛情をどのくらいうまく受け止められていますか？　愛する方が愛されるよりも簡単なことが多いのですが、愛し愛されるのが良い関係です。**愛されていると感じると気まずくなったり、何を期待されているのか不安になったりしますか？**

・どんな方法でコミュニケーションをとっり、自分の欲求やニーズを表現し、支え合う関係を築いているのか見ていくと、愛情の有無がわかります。愛情があれば、良い知らせだけでなく、悪い知らせにも耳を傾けて対応していけます。良い知らせを受けたとき、相手と一緒に心からお祝いしていますか？　悪い知らせを受けたとき、相手を心から思いやって対応していますか？

強み探し

27歳の大学院生、マーカス・Yさんの例を見てみましょう。

私は両親の愛を一身に受けて育ちました。一人っ子だったので、両親はいつも私の側にいてくれました。何より野球に夢中になっている私のことを、自分を犠牲にして支えてくれたのです。

大学に野球推薦で入学したときは、家族みんなでお祝いしました。もうすぐ夢が叶うという喜びに溢れていた私たちには、その先に待ち受けている悲劇など知る由もありませんでした。

大学での練習の初日に膝を負傷してシーズンを棒に振ることになった私は、失意のどん底に叩き落とされました。それまでの人生、脇目も振らず野球に捧げていた私には、他に何もなかったのです。

私にとって野球こそが生きがいでした。野球を失った私は途方に暮れて、弱気になっていました。生まれて初めて家族と離れて暮らすようになっていたことが、それに追い討ちをかけました。困ったときにはいつでもアドバイスをしてくれて、安らぎを与えてくれた両親が側にいなかったのです。失意のどん底に落ちていてもおかしくありませんでした。そんな羽目にならなかったのは、恩師の存在があったからです。

大学でスポーツウェルネスのプログラムを作った先生で、選手全員を心から思いやってくれていました。

私が負傷するとすぐに、両親に電話し、病院に連れて行ってくれたのが、その先生です。先生は、いつも学生たちのことを優しく思いやってくれていました。回復するまでずっと、私のことを支えてくれました。私のためにできる限りのことをしてあげたい、先生はそう思っていたのです。

2年生のときに先生が亡くなると、すぐに「先生のような人になりたい」という気持ちになりました。先生と同じように、人を愛し、思いやっていこうと心に決めたのです。あれから数年が経った今でも、先生の影響は色あせていません。先生が人との絆を大切にしていたように、私も人との絆以上に自分にとって大切なものはこの世に他にないと思っています。

行動しよう

人間関係

・健全で愛情ある関係について何より大切だと思うことを振り返り、書き出してみましょう。その中で気づいたことの中から1つ選んで行動に移してみましょう。

・近しい関係の人に対して、どの程度愛情を表現しているか考えてみましょう。相手に、どんなときに一番愛情を感じるか聞いてみましょう。ポジティブな言葉、ボディタッチ、一緒に過ごす時間、思いやりのある行為、プレゼントなど、具体的な例を挙げて聞くようにします。次に何かしらの方法で、相手の提案を実行に移してみましょう。難しい場合には、まず努力するところから始めてみます。他に2人にとってぴったりな行動がないかどうか、話し合ってみるのも良いかもしれません。

・毎週時間を捻出して、一番大切な人と2人だけで誰にも邪魔されない素敵な時間を過ごすようにしてみましょう。

・大切な人への愛情と感謝の気持ちを言葉にしてみましょう。感謝の理由を1つ2つ具体的に伝えることを忘れずに。

職場

・人を思いやる気持ちが仕事をうまくやり遂げるモチベーションになっていたり、同僚や顧客に対して温かい思いやりの気持ちを持っていたりする場合には、愛情という強みを発揮しています。プライベートでも仕事でも、同僚に純粋に関心があることを示して、愛情を表現していきます。次に同僚と休憩室で会ったり、机の前を通り過ぎたり、コーヒーを入れたりしているときに会話を交わす機会があったら、立ち止まって、心を込めて、純粋に相手に興味があることを示しましょう。

・自分の仕事の一部がどうやって他の人たちにとって価値あるものになっているのか考えてみましょう。これを自分の愛情表現の1つとして評価してみましょう。

・何気ない瞬間に愛情を表現してみましょう。例えば、同僚から良い知らせを受けたら、温かく純粋に対応し、もっと詳しく話してくれるように促してみましょう。

・ストレスを抱えていたり、嫌なことがあったりする同僚がいたら、支えてあげるようにしてみましょう。励ましの言葉をかけて、心から心配していることを伝えることが贈り物になります。

コミュニティ

・もっとコミュニティ愛を表現したらどうなるのか考えてみましょう。自分の暮らす地域や町にすでに愛着を感じているかもしれませんが、さらに一歩踏み出して、その愛を行動で示していく方法はないか考えてみましょう。

自分自身

・慈しみの心を育む瞑想を実践することで、人に簡単に与えられる温かい思いやりの気持ちを、自分にも向けてみましょう。書籍・CD・YouTube動画には瞑想を紹介しているものがたくさんあり、瞑想の専門家で教えている人もたくさんいます。そこから学んで、自分でも実践してみましょう。特に自己批判が頂点に達した場合には、自分に対して優しく思いやりの気持ちが持てる方法で、瞑想を試してみましょう。

バランスを取ろう

愛情が発揮できていない場合

人に温かい気持ちで接するのは難しいと感じている人もいるかもしれません。それは、以前に傷ついた経験があって、「もうリスクを冒してまでそんな思いはしたくない」と思っているのが原因になっていることが多いのです。

温かい思いやりの気持ちをどうやって表現したらいいのかわからない、そう思ってしまうこともあります。愛は安心感と幸福感を高める上で大きな力になってくれるため、傷つくことになるとしても、対策を講じて、愛情を表現していきたいという気持ちになるかもしれません。

愛する人に、どうやったら自分の気持ちをもっとはっきり伝えることができるのか、聞いてみるのも良いかもしれません。

人間関係や状況によっては、愛情表現を控え目にしたり、愛情表現が弱まっていくのを放置してしまったりすることがあります。特に関係が何年も何十年も続くと、そんな状況に陥ってしまいがちです。そんなときは、言葉や行動、感情でもっと愛情を表現するようにしましょう。世の中の大抵の人間関係では、そんな愛情表現がプラスに作用していくものです。

家族や交際相手、伴侶、友人には簡単に愛情表現ができても、職場の同僚や地域の隣人相手となると、そう簡単にはいかないため、愛情表現が足りないことにも気づきやすくなります。そんなときでも、温かい気持ちで、思いやりを持って、きちんと聞く耳を持ち、純粋な心で、うまく対人能力を発揮すれば、相手が親しい人でなくても、愛情を強く発揮できるのです。

人には強い愛情を発揮しても、**人からなかなか愛情を受け取れないでいると、バランスが崩れてしまい、人に愛情が発揮できなくなってしまいます。**介護者の中には、ひたすら愛を与え続けるのを名誉の印だと思っている人がいますが、そんなふうに愛情が発揮できていないことに気づけず、人間関係に悪い影響を与えてしまっている自覚がないのです。愛することと愛されることは、双方向の道路のようなもので、どちらも等しく価値があることなのです。

自分に愛を向けないのも、愛が発揮できない典型例です。これは、セルフケアや自己管理が上手くいっていなかったり、特にミスを犯してしまった場合など、自分を激しく非難してしまったりするような場合に、表に出てきます。

愛情の出し過ぎの場合

愛情の出し過ぎとは、特定の人に愛情を激しく表現し過ぎてしまうことです。「よく知りもしない人から愛され過ぎている」という違和感を相手に与えてしまっていることが、その原因になっていることがあります。このように愛情の出し過ぎが足かせになって、人間関係が築けないことがあります。ここでは、片思いや一目惚れ、英雄への憧れ、大ファンといったような話をしているわけではありません。このような気持ちは、一方通行なので本当の愛情表現ではありません。

ここでの愛情の過剰使用とは、機が熟していないのに、相手と親密な関係を築こうとしてしまうことです。相手が愛情表現が控えめな人だったり、自分ではストレートに愛情表現をしているつもりでも、相手には受け入れ難いと思われたりするときなどです。

相手のことを本当に愛しているのであれば、相手が自分の愛情を受け止められずにいることに気を払って、ゆっくりと進んでいくようにします。愛情を与えても、相手から愛情が返ってこない場合には、傷ついたり、利用されたという気持ちになってしまったりすることがあります。愛情にはリスクが付き物ですが、自分が努力している場合、相手の努力と足並みを揃えていく必要があります。

28歳の会計士、ソフィー・Tさんの例を見てみましょう。

人のそばにいてあげたいと思いながらも、一線を超えないようにして、自分を大事にする必要もあるのが、愛情の難しいところです。私が意識的に実践しようとしていることです。私には、人に利用されているのではないかと思ってしまった経験があります。「大きな木」という絵本があります。大好きな少年の願いが叶うように、次々に自分の一部を与え続けた結果、切り株に成り果ててしまった大きな木の物語です。

この絵本が、愛の素晴らしさについて教えてくれるものなのか、愛のリスクについて教えてくれるものなのか、考え込んでしまうことがあります。それでも、協力したり交流したりして関係を築いていくつもりが相手にない場合には、その気持ちを感じ取れることが多くなりました。

相手に真っ直ぐに愛情を向けてしまうと、威圧的になってしまうことがあるのもわかっています。おかしなことだと思われるかもしれませんが、私のパートナーに「嘘でしょ？　四六時中そこまで愛情を向ける人なんているわけないじゃない？」と思われてしまうことがあります。

そっとしておいたり、話をしないで流してしまうことも、愛情の一部だということがわかってきました。

愛情の最適な使い方：黄金律

愛情のモットー

愛すだけではなく愛を受け取り、温かく思いやりのある親密で愛情溢れる関係性を築きます

想像してみよう

人間関係の中で、惜しみなく愛情表現をしている姿を想像してみましょう。そうすることで満たされた気持ちになります。考えや感情にも愛情が溢れ、愛情を言葉や行動で伝わるようになるでしょう。

愛している人に対して思いやりがあります。パートナーに対して、スキンシップを図り、世話を焼き、ポジティブな言葉をかけ、感謝の言葉を伝え、プレゼントを渡したりするなどして、様々な方法で愛情を表現します。

友人や家族とは、一緒に充実した時間を過ごして愛情を伝えます。同僚といるときは、励ましの言葉をかけたり、積極的に耳を傾けたり、親切にしたりして支えたりすることで、愛情を表現します。

人生で愛のある人間関係を築けていることに感謝し、タイミングを見計らって、その気持ちを表現するようにします。

「公平さ」という強みも発揮して、自分が愛情を表現するだけでなく、他の人があなたに送る愛を受け入れて感謝していきます。

つまり、愛情を受け入れて、その愛で自分を満たしていくということです。

VIA・24の性格の強み

親切心 ―KINDNESS―

親切心について知っておくべきこと　WHAT | WHY | HOW

簡単に言うと、親切心とは人に優しくすることとです。さらに吟味してみると、人に寛大であること、つまり、自分の時間、資金、能力を使って、困っている人に救いの手を差し伸べるといったような大切な特徴が色々見えてきます。

慈しみの心を持って、人の助けになったり、悩みごとを真摯に聞いたり、ただ黙ってそばにいて支えたりすることなのです。そんな思いやりの気持ちを持つには、人の幸せに深い関心をもつ必要があります。親切心は、人を育てたり、世話をしたりすることでもあります。喜んで人のために尽くしたり、面倒を見たり、良い行いをしたりするのが親切心なのです。

親切心は伝染します。研究によると、人が利他的で親切な行動をしているのを目の当たりにすると、自分自身も努力して、親切で利他的な行動をするようになる傾向があります。

利他的な気持ちで、下心がなく、見返りを期待せずに、ただ力になりたいという思いで行動するのが、純粋な親切心です。

親切心と愛情には違いがありますが、この2つの強みが一体となることがよくあり、親切心と

親切心

愛情の両方が強みになっている人は珍しくありません。しかし親切心と愛情には違いがあります。

愛情という強みが親密な関係で発揮される傾向があるのに対して、親切心はもっと一般的な強みで、親しい人以外にも手を差し伸べて良い影響を与えていくものです。愛情と違って、親切心は、必ずしも親密で安心できる関係を築くことを目標にしているわけではありません。相手に「大事にしてもらっている」と感じてもらうことが、親切心の目標なのです。

親切心が強いと、親切心が相手を思いやるもので、相手が幸せになれるよう気遣うという自分の価値感と一致している強みであることがわかるでしょう。

つまり、特に人が必要としているものを感じ取り、相手が必要なものがわかったら、率先して行動に移そうとしていきます。相手を優先して、どうやったら力になれるのか考え、直感的、無意識的に行動していくことが多くなります。

親切心を最大に発揮しているときは、自分自身にも人にもバランスよく親切心を向けることができます。

親切心が大切な理由 WHAT WHY HOW

親切心の強みの恩恵に関する研究成果には、以下のようなものがあります。

・大小を問わず人に施すことで、幸福感が高まる傾向があります。

・いつも親切に人に施すようにすることで、寛大でない人よりも、健康長寿になる傾向があります。
・親切心を発揮すると人に好かれることが多く、意義ある関係と愛情が生まれる機会になります。
・親切心を自分に向けて、自分を思いやるようにすると、自尊心が高まり、不安や鬱が減り、人生への満足度が高まります。これはセルフコンパッションとも呼ばれます。
・どんどん積極的に親切な行動を取るようにすると、色々な利点があることがわかっています。ポジティブな感情が高まり、ネガティブな感情が低まり、幸福感が増し、仲間に認められ、人気が高まります。

親切心を強化する方法 WHAT WHY HOW

振り返ろう

親切心の強みについて振り返りながら、以下の質問に答えてみましょう。

・様々な状況で、人の親切心や思いやりの表現をどのように捉えていますか？
・自分の親切心を人はどのように受けとっていますか？
・あなたが親切心を表現する場合、寛大さ、感情面への配慮、優しさ、慈しみなど、自分なりのやり方がありますか？

・どんな状況だと親切心を表現しやすくなりますか？

・どんな状況だと親切心を発揮するのに苦労しますか？

・他にどんな性格の強みを使うと、親切心を一番発揮しやすくなりますか？

強み探し

48歳の企業重役、シェリル・Tさんの例を見てみましょう。

親切心は自分の一部になっているので、考えなくても、自然と親切に行動してしまいます。両親にはかなり誤解されているなと思っていました。両親にわかってもらうのに苦労したので、私は、人の本当の姿を理解するように心がけています。

まだ小さい頃、10歳頃だったと思うのですが、近所に特殊教育の専門家がいました。彼女はなぜだか私に色々教えてくれました。

私に何か特別な資質を見出したようで、仕事場に連れていってくれたのです。彼女は子どもたちと関わっていて、それがきっかけで高校生の時、障害児のキャンプでボランティアをしようという気持ちになりました。辛い思いをしている子どもたちと一緒にいましたが、私は言葉を使わなくても打ち解けることができました。他のボランティアには、なかなかできないことでした。

私は、常に親切でいようと努めています。何か自分がプラスの影響を受けたら、それを相手にも伝えない理由はないですよね。親切心が潤滑油になって、物事をスムーズに進めていけるようになります。

人に「笑顔が素敵ですね」という言葉を毎日のようにかけます。そうすると会話の雰囲気が変わります。「そんなことをするなんて、本当に勇気があるんですね」という言葉もかけますし、それが世の中にいい影響を与えていると思います。

私の性格がよくわかるエピソードがあります。昔、おじが浮気していました。何年も前の話で、私は12歳ぐらいだったと思います。おじは結局浮気相手の女性と一緒になりました。死が迫り、痛みに悶え苦しんでいたおじにずっと付き添っていたのが、その女性でした。

葬儀のとき、彼女は私の目の前にいました。彼女がどれだけ尽くしてきたのかわかっていたので、身を乗り出して、「私にはあなたのことが大好きだったおじさんの気持ちがわかるわ」と伝えると、彼女は涙を流し始めました。少しリスクはありましたが、相手の気持ちを認めてあげることが大切だと思ったのです。

行動しよう

人間関係

・自分の人間関係の中から1人選んで、その中でどうやって親切心を惜しみなく与えられるか考えてみましょう。与えると言っても必ずしもお金を使う必要はありません。時間や能力を使うこともできるからです。

・誰か身近な人に、どんなふうに親切にしてもらったらありがたいと思えるのか、聞いてみましょう。

・思い立ったら、身近な人に親切な行動をして驚かせてみましょう。週末の旅行を企画したり、ディナーを作ったり、日課の手伝いをしたりしてみましょう。

職場

・じっくり話を聞いたり、手伝ったり、ただ親切なことをして思いやりを示したりして、共感を示しているときは、親切な心が発揮されています。親切な心で、職場の同僚や顧客の役に立つことをしてみましょう。相手がほんの少しでも仕事がしやすくなるように努めてみましょう。

・毎朝カフェでコーヒーを買うときは、同僚のためにもう1杯注文しましょう。追加で買ったコーヒーは日替わりで違う同僚に渡します。自分に冷たい同僚がいたら、その人にも渡してみると良いかもしれません。

コミュニティ

・思い立ったら、コミュニティの中で匿名で親切な行為をしてみましょう。例えば、公園や池の周りの掃除をしてみましょう。

・近所の人には意識して親切な行動をしましょう。例えば、芝生の手入れ、私道の雪かき、食料品の買い出し、ペットの世話などに困っている人に手を貸しましょう。

自分自身

・自分に優しくなりましょう。これは「セルフコンパッション」と呼ばれることが多いものです。自分の痛みを思いやって、上手く自己評価をするように心がけましょう。自分自身に正直でいながらも、優しい気持ちを忘れずに、思いやりを持ち続けることができます。完璧主義は捨てて、ミスをしてしまっても、あまり深刻なものでなければ、大目にみるようにするということです。

・親切な行動の記録をとりましょう。研究で、毎日でも毎週でも親切な行動を数えるようにすると役立つことがわかっています。こうやって自分の親切心を認識できるようになると、新しいアイデアや行動が生まれてきます。

バランスを取ろう

親切心が発揮できていない場合

自分の時間や資金、能力といったようなものを出し惜しんだり、苦しんでいる人を思いやらなかったり、意地悪な接し方をしてしまったりすることがあります。

そんな場合には、親切心が発揮できていないのは一目瞭然です。気づきにくいのは、忙しかったりストレスが溜まっていたりして、自分のことで精一杯になってしまい、苦しみ悶えて救いを求めている人に見向きもしなくなってしまうケースです。

無関心は親切心の敵ですが、人を思いやるように努力していないからと言って、親切心を発揮できていないわけではありません。常に人に優しくすることに心血を注げる人はいません。そんなことをしてしまえば、疲れ果ててしまいます。

伴侶など、家族と一緒にいるときよりも、よく知らない人といるときの方が、親切になれるという人がいます。家族といるときはくつろいでのんびりしていても、知らない人といると、良い印象を与えたいという気持ちが働きます。

親には優しくできなくても、他の人には親切になれる子どもが、その典型でしょう。

逆もまた然りで、自分と人種・宗教・国籍・性的指向・学歴などが違う人に、優しくなれないことがあります。

誰でも親切心を発揮できないことはありません。特にどんな状況で親切になれているのか、どんな状況で親切心を発揮するのが大切なのか、明確にすることが大切でしょう。

親切心の出し過ぎ

親切心の出し過ぎは、人に施しすぎてしまって、精神的な余力がほとんどなくなってしまうのが、典型的でしょう。殉教者のような気持ちになってしまうのです。**親切心に溢れていると思っても、与えるだけになってしまうと、ほとんど自分には何も残らなくなってしまいます。**そんなときは誠実さと大局観を使って、問題に対処する必要があります。**今与え過ぎてしまうと、将来必要なときに、親切心を発揮できる可能性を下げてしまうのです。**

与え過ぎてしまうと、押し付けがましいと思われてしまうこともあります。例えば、一時的に問題を抱えている人に救いの手を差し伸べたとします。問題が解決したのに、その後も色々ちょっかいを出してしまうと、空気が読めない人だと思われてしまって、「大きなお世話だ」と思われてしまうことがあります。食べ物や食料を惜しげも与えてくれる人に「もう結構です」と伝えるのは気まずいものです。

ちょっとした願いを聞き入れたり、褒めたり、プレゼントをしたり、手伝ってあげたりするなどして周りに親切にするのは得意でも、愛情という強みの場合と同様に、ただ与えるだけで、相手からは何のお返しも受け取れないという人もいます。

何度も親切にしたのだから、少しくらい見返りがあってもいいだろうと思っているのに、相手が自分に親切にしてくれないと、利用されているだけで感謝してもらえないと思ってしまう人もいます。

このような例もまた、**「共感疲労」と呼ばれ、**親切心の使い過ぎに繋がります。**医療などの分野で人助けを生業にしている人によく見られます。人に施し過ぎて自分の限界を超えてしまい、消耗し切って燃え尽きてしまうのです。**

33歳の医師、クロエ・Aさんの例を見ていきましょう。

親切でいたい。そんな思いがあると、自分を見失ってしまうことがあります。

私の姉は強情で、子どもの頃は毎日のように両親とぶつかっていました。そんな姿を目の当たりにしていた私は、3人が気の毒で仕方がないと思うことがありました。特に両親がかわいそうだと思う気持ちが強かったので、「自分だけは負担になりたくない」と思うようになりました。

父が転勤になって引越しが決まったときに、大暴れした姉のことを嘆き始めた父の姿は今でも覚えています。「私は大丈夫だから!」と父に伝えはしましたが、親友と離れ離れになってもやっていけるかどうかなんて、当時の私には知る由もありませんでした。それでも父の負担になりたくなかった私は、家族の支えになっていきました。なるべく家族の気持ちを理解するようにして、自分の気持ちは抑えるように努めたのです。気持ちを整理して、両親に当時の自分の気持ちを伝えることができたのは、それから何年も経ったときのこと。特に親しい関係の人とは、同じようなことが何度も繰り返されましたね。

色んなことが重なり合って、我を忘れてしまうことがあります。特に仕事ではそうで、人のために頑張り過ぎても自分の得にはなりません。そんな状況に陥ると落ち込んでしまいます。これからもずっと、そんなところが自分の弱みになっていくのでしょうか。

親切心の最適な使い方：黄金律

親切心のモットー

見返りを期待せずに、人の力になり、人の気持ちを理解し、日頃から人に親切にします

想像してみよう

近くに大きな悩みを抱えている人がいる状況を想像してみましょう。

その悩みには自業自得という部分もありますが、相手が助けを必要としていることがわかったら、自分の時間を割いてあげることにします。

手作りの料理を持ってきて、一緒に食べたり、隣に座って、話を聞いてあげたり、相手の気持ちを支えて、温かく接して、信頼してあげる存在になります。相手が本当に苦しんでいることを理解し、認めてあげましょう。

自分に同じような経験があれば、何とか解決できたことを伝えるようにします。アドバイスをすることもありますが、何より相手の話を聞いて共感することに集中します。相手が感謝を伝えてきたら、その気持ちを受け止めます。

それから1週間、思いやりのある行動で相手を支えてあげる方法を考えますが、自分の家族や仕事の責任、セルフケアについて考えることも忘れません。相手の力になることを約束しますが、度を越さないようにします。その後状況が改善したら、相手と一緒にお祝いしましょう。

VIA・24の性格の強み

社会的知性 ―SOCIAL INTELLIGENCE―

社会的知性について知っておくべきこと WHAT WHY HOW

何が人を動かすのかわかっている人は、社会的知性を発揮しています。人や自分の動機や感情を理解していて、様々な社会的状況にどうやって合わせていけばいいのかわかっているのです。また、役員室、管理人室、学校、建設現場など、どこにいても落ち着いて正しいことが言えます。

社会的知性を発揮するには、ただ感情を理解するだけではなく、取捨選択をしながら状況に合った感情表現をしていく必要もあります。これを理解して社交上手になると、人間関係をうまく築いていけるようになります。社会的知性を発揮することで、他の人の気持ちや状況をうまく読み取ることができます。社交の場で微妙なニュアンスを感じ取れるのです。「共感力」とは人がどのように感じているかを感じ取れる能力のことですが、これが優れた社会的知性には必要不可欠になっています。

社会的知性が高いと、人が直接言葉にしたものもしていないものも感じ取れます。何をどんなふうに言ったのか注目して、言葉の裏にあるメッセージを汲み取っていけるのです。つまり、表情に、怒り、悲しみ、喜び、恐怖はなかったか？　目を逸らしたか？　それともしっかりアイコ

社会的知性

ンタクトをしたか？　ストレートで力強い口調だったか？　穏やかで優しい口調だったか？　口調が途中で変わったりしたか？　言いたいことを口にしなかった部分はないか？　大事な意見が抜けていなかったか？　気が散っている様子だったか？　関心がないように見えたか？　それとも会話に夢中になっている様子だったか？　そういったことに注目して相手の気持ちを汲み取っていくのです。

社会的知性を十分に発揮していると、自分自身の感情とその場の感情を読み取って、状況に合わせてスムーズに対応していけます。必要に応じて、柔軟に関わりやコミュニケーションの仕方を変えていけるのです。

社会的知性が大切な理由　WHAT WHY HOW

社会的知性の強みの恩恵についての研究成果には、次のようなものがあります。

・社会的知性と感情的知性を発揮することで、社会でもビジネスでも、人とうまくやりとりをするのに役立ちます。
・社会的知性を発揮することで、様々な社会的状況でもリラックスしたままでいられ、新しい人に出会ったり新しい経験をしたりするチャンスが広がっていきます。
・自分の気持ちや人の気持ちを理解することで、心身ともに健康になり、仕事の能率が上がり、人間関係が改善していきます。
・相手の気分、気質、意欲、意図の違いを理解して、それに対応していけると、信頼を得て、人間関係を形成していくのに役立ちます。

社会的知性を強化する方法 WHAT｜WHY｜HOW

振り返ろう

社会的知性の強みについて振り返りながら、以下の質問について考えてみましょう。

・どんな社会的な状況で、一番前向きな成果が出ましたか？　その交流にどうやって良い影響を与えましたか？
・状況をきちんと読み取れているかどうか確認し直すのが役立つのはどんなときですか？　どんな方法でチェックし直しましたか？
・自分の感情をストレートに伝えるのが一番効果的だったのはどんな状況ですか？　人の感情を読み取っても、本人には伝えないでおくのが最善の策だと思ったのはどんな状況でしたか？
・他にどんな性格の強みを使ったら、社会的知性を高めるのに役立ちますか？
・社会的知性が自分の邪魔になったのはどんなときですか？

強み探し

43歳の臨床心理士、ジェニファー・Bさんの例を見てみましょう。

私は昔から人の要求や感情に敏感です。父の影響かもしれません。父は本当に人の気持ちがよくわかる人でした。いつでも誰とでも会話を始められて、父と話をしている人たちは、いつも安心して、普段着の自分でいられるようでした。

私も父と同じです。ときどき相手の気持ちを優しく聞いてみることはありますが。それで相手がもっと心を開いてくれるのです。何年もかけて聞く力に磨きをかけてきました。今も頑張って聞く力を伸ばそうとしているくらいです。表情とジェスチャーに注目して、相手に何が起こっているのか理解しようとします。

みんなに「大丈夫?」と声をかけてまわるのが私の代名詞のようになっていますが、実際に声をかけた人が悩みを抱えて苦労していることも多いのです。

友人と一緒にいるときも同じです。みんなが大丈夫かどうか見てみるようにしています。夢中になれていない人や、楽しめていない人がいたら、手を差し伸べて仲間に入ってもらえるようにしていきます。パーティでも、孤立していると思う人がいたら、隅でずっとその人と話していることが多いのです。

行動しよう

人間関係

・パートナーといつもの口論になってしまったら、努力して、相手の言葉や意見に最低1つはポジティブな要素を見つけるようにしましょう。
・親しい人に、自分のコミュニケーションの仕方で一番評価できる部分はどこか聞いてみましょう。一番直して欲しいところも聞いてみましょう。
・議論で決定打になるような主張をゴリ押しして、相手の気持ちを傷つけないようにしてみましょう。

職場

・落ち込んでいたり、ストレスに悩まされていたり、人生で問題を抱えていたりしそうな同僚に、共感するようにしましょう。優しく質問をしてみましょう。相手が自分に安心して打ち明けられるかどうか確認しましょう。話すよりも聞くことに時間を割きましょう。必要に応じて精神的な支えになってあげましょう。
・普段挨拶を交わす程度の知り合いと会話を始めてみましょう。例えば事務員・管理人・オフィスの隅にいる従業員、新入社員といったような人たちです。相手のことや、気になること、その日や1週間の様子などを聞いてみましょう。ストレスを感じているようなら相手を思いやる言葉をかけましょう。相手が前向きな気持ちだと話してくれたり、良いことがあったと伝えてくれたりしたら、一緒に喜びましょう。

・同僚が、理解できて受け入れられるような健全かつ直接的な言い方で、フラストレーションや失望、緊張といったような気持ちを伝えてみましょう。

コミュニティ

・地域のイベントがあったら、居心地が悪くても積極的に参加してみて、批判はしないようにして、グループに発言してみましょう。

・地域イベントに足を運んだり、近所の公園を散歩したりするときに、ひとりぼっちで浮かない顔をしている人がいたら気にかけるようにします。社会的知性という強みを使って、そんな人たちに近づいて、会話を始めてみましょう。

自分自身

・複雑な状況にいるときに抱えている感情を評価してみましょう。そんな感情を人に伝えることで自分にどんなメリットがあるのか考えてみましょう。

バランスを取ろう

社会的知性が発揮できていない場合

社会的知性が使用不足になっていると、世間知らずで、思いやりがなく、人の気持ちに鈍感だと思われてしまうことがあります。

そのような場合、ただ周りの社会の複雑さに気づいていなかったり、経験不足で社会の複雑な部分を解釈できなかったりすることがあります。疲れていたり、退屈していたり、反発していたり、興味がなかったり、無我夢中になっていたりする場合もあります。

社会的知性という強みの特徴になっている感情的なスキルを身に付けるのに四苦八苦している人がたくさんいます。悲しみや不安、怒り、恥といったような感情の様々な表現方法、そういった気持ちの体の中での生じ方や感じ方、バランスが取れた表現の仕方、思考と行動とのつながり方といったようなものが、理解できないのです。

社会的な状況は実質無限にあります。その中には落ち着いて優雅に振る舞える状況もあれば、そうでない状況もあります。

社会的知性の出し過ぎ

人の動機に対する意識が強くなり過ぎると、慎重になり過ぎてしまったり、自由に行動できなくなったりしてしまいます。このような場合、状況を分析し過ぎてしまったり、人の考えや気持ちについて考え過ぎてしまったりして、機会を逃してしまうことがあるのです。神経質になり過ぎたり、現実を見ずに頭でっかちになり過ぎてしまっていると言えます。

社会的知性が過剰になってしまうもう一つの要素は、共感し過ぎている人々に見られます。他の人の痛みや苦しみに集中しすぎて、うつ病になったり、圧倒されたり、燃え尽きたりすることに繋がることがあります。

22歳の体育学科のアシスタントコーチ、マーク・Wさんが社会的知性を使い過ぎてしまった例から学びましょう。

私は人の気持ちに注目し過ぎてしまうことがあります。辛い思いをしている人がいると、放っておけなくなってしまうのです。「問題があるなら一緒に探っていかなくちゃ」そう思ってしまうのです。でも昔みたいに無理に相手に悩みを打ち明けさせるのは、やめた方がいいとわかりました。人の気持ちがわかるのはいいことですが、悩みがあってもそっとしておいてほしいこともありますからね。相手が話したがっていないときは、

「よろこんで話し相手になるからね！」とだけ伝えて、その場を去るようにしています。

また私は、人のちょっとした言葉や口調の変化、肩をすくめる動きなどにすぐ気がつき、その意味を理解しようとします。それで相手の感情に気づけることもあります。相手の気持ちがわからなくて、考え過ぎてわけがわからなくなり、時間を無駄にすることもありますね。

社会的知性の最適な使い方：黄金律

社会的知性のモットー

周りの人の感情だけでなく、自分の感情と考えに気づき、理解します

想像してみよう

主催者以外に知り合いが誰もいないパーティーに足を運んだ姿を想像してみましょう。直感に従って、会場に入っていきます。愛想よく社交的に振る舞って、出席している人と親しくなっていこうという心の準備もできました。熱意とユーモアも社会的知性を発揮する上で大事ですが、この瞬間では何より勇敢さが求められます。出席者一人一人と目を合わせ、微笑み、会釈していくのです。主催者の居場所も聞いて感謝の気持ちを伝えます。

上品に飲み物と料理を手に取ると、大局観を使って、一歩下がって部屋全体を見渡してみます。会場はカジュアルで陽気な雰囲気で、親切心が溢れていることがわかったら交流する準備が整いました。頑張って3、4人と会話を始めてみます。遊び心のあるユーモアと巧みな話術に、興味深い人生観を組み合わせていきます。相手の話にも耳を傾けるのも忘れません。

パーティーが終わると、会場でどんな風に状況や気持ちを「読み取った」のか、色々振り返ってみます。

うまくいった会話と苦労した会話を思い出して、その原因を探っていきます。

VIA・6つの美徳

正義の美徳

社会や集団活動で力になってくれる

「正義の美徳」は、人間関係と特に関わりの深い美徳の2つ目になります。先に紹介した「人間性の美徳」は個人的な関係に関わるものでした。人間性の強みは、人に惹きつけられたり、人に思いを寄せたりするようなことから生じる傾向があり、そこから人の気持ちや要求、願望に関する考えが深まっていくものです。

対人関係がいつも一対一だとは限りません。人間は集団生活をしているので、**正義の強みを使って、集団内での相矛盾する目標や人々の意図の舵取りをしていくのです。**人間性は「あなたと私」という2人の人間関係に関わるものですが、正義は「あなた方と私」という3人以上の人間関係に関わるものです。

人間性の強みと正義の強みが相矛盾することもあります。

例えば、グループに誰より褒美を望んでいる人がいても、他にもっとふさわしい人がいるとします。そうすると、欲しがっている人に同情こそするものの、ふさわしい人に褒美が渡るようにしなければ、グループ全体としては納得がいかなくなってしまいます。このように、正義を実現するにはグループ内で作用している様々な力のバランスを取らなくてはならないことがよくあります。だからこそ実現しにくいことも多いのです。

正義感のある人に人情味があることもありますが、人間性より集団の利益を優先しなければいけないことがあることもわかっています。逆に、集団として賢明の策だということになれば、人間性を優先したほうがいいこともあります。

正義の強みは、理想のグループやコミュニティの姿に近づけていくような状況において、特に重要になってきます。

正義の強みには、**「チームワーク」「公平さ」「リーダーシップ」**があります。

VIA・24の性格の強み

チームワーク ―TEAMWORK―

チームワークについて知っておくべきこと WHAT WHY HOW

チームワークとは、チームの成功に貢献すること。チームというと、仕事のグループやスポーツチームが思い浮かんできますが、家族や結婚もチームであり、一緒にプロジェクトに取り組む友人たちもチームであると言えるでしょう。チームワークという強みを発揮することで、自分の暮らすコミュニティや国で善良な市民になり、さらには特定のグループや人類全体に対する社会的責任を感じるようにもなっていきます。

チームワークの能力が高い人がグループ全体の利益になるように全力を尽くしている場合、どんな状況であっても一定の方針に従って行動していることがわかります。小さなグループやチームの一員として、全力を尽くして、信頼を勝ち取り、貢献していくことが、チームワークの強みになっていることの方が多いのです。

この能力に長けている人は、自分を超越して、家族や友人、同僚、隣人といったような人たちに、帰属意識と義務感を持っています。チームワークの重要な要素は、個人的な利益のためではなく、グループの利益のために努めることです。信頼に足るメンバーとして自分の役割を精一杯こなして、それから大きな満足感を得ていきます。

しかし、健全なチームワークとは、チームに闇雲に従うことではなく、詳細な情報を基にして、全体の利益になるように判断を下していくことです。

チームワークが頂点に達すると、1人ではなくグループの中で作業することで本領を発揮し、グループやコミュニティを改善するための努力を惜しまなくなります。人との絆を感じて、みんなで力を出し合えば、グループはもっと成功していけると確信しています。

チームワークが大切な理由 WHAT WHY HOW

チームワークの強みの恩恵に関する研究成果には、以下のようなものがあります。

・チームワークに優れた人たちは、より高い次元の社会的信頼を勝ち取り、人を肯定的に見るようになります。
・チームワークで絆が深まり、目的を共有することでチームの存在意義が高まります。
・チームワークを発揮することで、仕事に夢中になれたり、質の高い絆が育まれたり、グループで創造的に作業に関わるようになっていきます。
・性格の強みの統計データで、チーム内での7つの役割分担が明らかになりました。「アイデア考案者」「情報収集者」「意思決定者」「実行者」「インフルエンサー」「人間関係調整役」「励まし役」の7つです。一番自分に合う役割を見つけて、その役割を果たしていくことで、人生の満足感が高まります。

・チームワークは、持続可能な行動との関係が一番強くなっています。持続可能な行動とは、社会環境や自然環境を守ることを目標にして行動していくことです。

チームワークを強化する方法 WHAT WHY HOW

振り返ろう

チームワークの強みについて振り返りながら、以下の質問について考えてみましょう。

・チームの一員として、一番満足していることは何ですか？　一番難しいことは何ですか？
・グループで作業するよりも1人で作業する方が良いと思うような状況はありますか？
・チームのために負担を負わされ過ぎている場合、どんな気持ちでどんな行動を取りますか？
・チームの一員として頑張ったら、どんなふうに認められて評価されたいと思いますか？
・親子関係や家族関係、夫婦関係、友人関係などの私生活に、どうやったらチームワークの強みを活かしていけますか？

強み探し

51歳の企業重役、アンジェラ・Bさんの例を見てみましょう。

チームワーク

私は、定期的にチームを編成してプロジェクトに取り組むような環境で働いています。どのプロジェクトでも、ほとんどの人が初対面ということがよくあります。

仕事のスタイルも違えば、プロジェクトの最適な進め方についての前提条件も違います。本当に難しいのですが、そんなときこそ私の出番です。挑戦するのは刺激的で、どうやったらこれまで経験がない人たちをチームとしてまとめ上げていけるのか、考えるだけでワクワクしてしまいます。

そのためには、私がチームを引っ張って互いに理解を深め合うことに努めていますが、その中でも目標を見失わないようにしていかないといけません。プロジェクトが終わったときに、みんなに「自分は貢献できた」「評価してもらえた」と思ってもらえるのは、自分にとってもいい経験です。

チームビルディングのスキルは、私にとって大きな財産です。人に評価してもらっているという実感がありますし、自分のキャリアにも役立っています。私のことを知っている人は、一緒に仕事をすることになると喜んでくれます。進行を邪魔したり、トラブルをあおったり、手柄を独り占めしようという気持ちはありません。心から、チームのみんなと成功を分かち合いたいと思っています。

行動しよう

人間関係

・どうやったら、交際相手や伴侶とチームになって、一緒に頑張って問題を解決していけるのか考えてみましょう。そんな視点を持って次の難題に取り組んでみましょう。

・2人の良い関係性のために協力した過去の出来事を吟味してみましょう。その経験からどんな教訓を学べば将来活かしていけるのか考えてみましょう。

・誰か親しい人が問題を抱えていることを打ち明けてきたら、2人で協力してチームになって、解決できないか聞いてみましょう。一緒に、ブレインストーミングをしたり、話し合ったり、行動を起こしたりしてみましょう。

職場

・人と責任を共有して共同作業をするのが楽しいと思えたら、チームワークという強みを発揮できています。次のチームミーティングや仕事のプロジェクトでも、チームワークを発揮しましょう。自分の考えやアイデアをチームメンバーに伝えて、プロジェクトや目標を達成する力になれます。他の人の考えも引き出すようにしましょう。

・仕事で自分のチームが直面している作業を吟味してみましょう。見逃されている要素や、同僚が苦戦している要素があれば、その中から1つ選んで協力を申し出てみましょう。

・自分のチームメンバーの成功と、メンバーが持っている性格の強みを認めましょう。例えば、「ジェイコブ、君は新規の顧客とすぐに気持ちが通じ合ってたね。本当に感心したよ。会社の収益に本当に貢献してくれるね。社会的知性を使って顧客に共感していたから、相手の問題を理解していることがわかったよ。何週間も粘り強く顧客と交渉して契約してもらえて、忍耐力を発揮したこともわかるね」といった具合です。
・過去にチームが団結して成功した経験を思い出して、頭の中で再生しましょう。その経験をチームミーティングで共有しましょう。

コミュニティ

・毎週自分の町の地域奉仕プロジェクトでボランティアをしましょう。
・ボランティア学習プログラムに参加して、もっと広い社会に貢献できるようにしましょう。

自分自身

・人生の難題を1つ挙げてみましょう。難題に立ち向かって、新しい考えを生み出して、強みを発揮していくのに、自分こそが最高のパートナーだと考えます。ノートに書き出すという形で自分自身と会話をしながら、そのような難題を探究しましょう。

バランスを取ろう

チームワークが発揮できていない場合

プロジェクトで独りよがりになってしまうのは、チームワークが発揮できていない一例です。自分で作業やプロジェクトを片付けてしまう方が簡単だと思う気持ちが原因になっていることがあります。協力の「力」は努力の「力」なので、協力には努力が必要なことがわかります。

チームワークの使用不足でそれよりたちが悪いのは、メンバーの1人が傍観してしまって、作業の大部分を他の人に任せてしまう状態です。怠惰だったり、自信やスキルがなかったり、自己主張の強いメンバーの対処法がわからなかったりするのが原因になっていることがあります。そんなふうにチームワークを発揮できていないと、自分勝手、協調できていない、自分の目標に集中し過ぎなどと、思われてしまいかねません。

チームワークの発揮のし過ぎ

チームワークを発揮し過ぎてしまうと、状況によっては人の作業に頼り過ぎてしまうことがあります。そうなると、個性が無くなってしまったり、チームメンバーが他の人に異論を唱えにくくなってしまったりします。

チームワークを発揮し過ぎてしまうと、自分の貢献の価値を見失ってしまったり、集団思考に陥ってしまって、支持する人の多い意見が一番良い意見だと思い込んでしまいかねません。いざというときに全体の意見に意義を唱えることができるると貢献度が高まります。

元管理職のエヴリン・Jさんが、チームワークの過剰使用について話してくれました。

もっと自分を頼りにして自立していたら、もっと成功していたかもしれないと思ってしまうことがあります。

人の仕事を自分の手柄にしたり、人のアイデアを盗んだりして成功する人を見てきましたが、そんなことをしても良い気分にはならなかったでしょう。それでも、プロジェクトの一部を自分で片付けて、それをチームと共有していくことならできたのではないかと思います。

仕事でチームに頼り過ぎてしまっていることが、間違いなくありました。自分の作業をすべて確認してもらったりして、不快な思いにさせてしまっていただけでなく、生産性が下がってしまったのではないかと思います。

振り返ってみると、ただ不快な思いをさせてしまっていただけではなくて、チームからフィードバックをもらわないと自分の仕事を進められないと思い込んでしまっていました。反対に、同僚たちが私に相談しないでプロジェクトの一部を進めてしまって、嫌な気持ちになることもありました。

チームワークの最適な使い方：黄金律

チームワークのモットー

グループの一員としてチームに貢献します。チームが目標を達成するように支えていく責任を感じます

想像してみよう

積極的にコミュニケーションを取って熱心に作業に取り組む、強力なチームの一員になった姿を想像してみてください。仕事量は公平に配分されていて、とても楽観的で、自分を含めたチームメンバーは、助け合いながら活動を共にしたいと思っています。このチームの交流についてどんなことに気づきますか？　自分はどんなふうに貢献していますか？

他のメンバーを信頼しています。メンバー全員に感謝の気持ちを持っています。その気持ちをメンバーに伝えるようにしましょう。自分やチームメンバーが、どんな性格の強みを使っているのがわかりますか？　「リーダーシップ」「公平さ」「誠実さ」「親切心」は、どのように発揮されていますか？

VIA・24の性格の強み

公平さ ―FAIRNESS―

公平さについて知っておくべきこと

WHAT | WHY | HOW

公平さとは、正当に人を扱うこと、感情や偏見に左右されずに決断をすることです。あなたは、機会は均等であるべきもので、みんなが平等にチャンスを与えられるべきだと考えてはいますが、同じことでも人によって公平になったり不公平になったりすることがあるということも理解しています。

残念ながら、何が公平なのか判断するのが難しい場合があります。ですから公平さを強みとして発揮するには、道徳的な善悪を明確にする能力が求められます。道徳的なルールを使って、何が公正なのかどうか、自分の決断が公正なのかどうか見極めていくのです。

公平さには2種類の思考法があります。善悪を客観的かつ、論理的に分析していくことを重視する**「正義の観点」**と、ある程度、人の見方に共感したり、配慮したりしながら公正な決断を期していく**「思いやりの観点」**です。

公平であれば、自分と同じ意見であっても違う意見でも、全員の意見が大事だと考えます。思いやりの気持ちを持ったり、社会正義に敏感になったりするのも、公平さの要素です。人を理解して繋がっていくことに関係しているからです。

公平さが十分に発揮されていると、全員が平等に扱われて尊敬されるようにするために、積極的に行動します。

公平さが大切な理由 WHAT WHY HOW

研究でわかった公平さの強みの利点には以下のようなものがあります。

・公平さを強みとする人は、積極的に社会性のある行動をすることが多く、不法行為や不道徳な行為をしない傾向があります。自分の行動が人に直接悪影響を与えないようにすることを重視する傾向があります。
・客観的に考えられることで、公平さが高まります。善悪の問題を論理的に考えられる能力は必要不可欠なものではありませんが、それでも大切になってくることがあります。
・道徳と正義に関わる問題に対して敏感になると、内省能力や自己認識能力が高まります。優れた道徳的な指針があれば、衝突があっても、効果的に対応しやすくなります。

公平さを強化する方法 WHAT WHY HOW

振り返ろう

公平さの強みについて考えながら、以下の質問に答えてみましょう。

・職場、家庭、コミュニティで、自分の公平さという強みがどのように発揮されていますか？
・みんなにとって公平な結果になるように妥協しやすかったり、しにくかったりするのは、どんな状況にいるときですか？
・不公平な行動をしたというフィードバックをもらったのは、どんな状況ですか？　どうやってその状況に対処しましたか？
・他の人が正当に扱われていないと感じた場合、どんな気持ちになりますか？　その気持ちになると公平さの強みを発揮する能力に影響しますか？
・自分の公平感と「人生は公平ではない」という現実との折り合いをどうやってつけていますか？

強み探し

35歳のオフィスマネージャー、リサ・Nさんの例を見てみましょう。

私にとって公平さがどれだけ大事なものなのか初めて知ったのは、自分のオフィスのチームビルディングのエクササイズでVIAの性格の強みを使ったときのことでした。同僚に私に一番合う強みを選んでもらうことになったのですが、真っ先に選んだのが「公平さ」だったのです。誇らしい気持ちになりましたね。部下たちが、私には平等に扱ってもらえると思ってくれているのは、すごく大切なことだと思います。わかってもらえて嬉しいですね。

部下を利用したり、自分には甘いのに部下には厳しくしたり、えこひいきをしたりするような上司もたくさんいますが、私は間違っていると思います。部下には、仕事の成果で判断してもらえるように努力しています。もしそうできていなかったら、遠慮なく私に伝えてくれれば、フィードバックを受け入れますね。それがあるべき姿だと思います。

行動しよう

人間関係

・友人や家族にもっと公平になれる方法を考えてみましょう。どれくらい一緒に質の高い時間を過ごせているか考えて、調整してみましょう。

・グループで孤立している人や新顔の人を会話に入れましょう。

・他の人たちが多様な背景を持つ人について、どう考えているのか探究していくのを支援しましょう。

・問題に取り組むときは、色々な観点を募ってみましょう。

職場

・一歩進んで、もっといろんな人を受け入れたり、励ましあったり、支えあったりするような職場にしましょう。広い視点で考えましょう。内向的で引っ込み思案な人にもっと注目し、バリアフリーの空間を設けて障害者が利用しやすいようにし、ポスターなどを貼り出して「みんなが大事」というコンセプトを強調したりしてみましょう。

・決定に影響のある人たちから直接意見を聞いて、自分の意見や想定に異論があれば伝えてもらいましょう。アイデアを募って、色々な角度から問題にアプローチしてみましょう。

コミュニティ

・恵まれない人々に平等な競争の場を提供する組織の役員や顧問を務めてみましょう。

・社会正義に関することで、メディアに手紙を書いたり、重要な問題について発言したりしましょう。

・地域での苦情や問題対応の方針と手順が全ての人に公平になるように努力しましょう。

自分自身

・自分の健康管理とセルフケアに費やす時間と、人助けに費やす時間を吟味して、自分に公平になりましょう。どうすれば自分にとっても他人にとっても公平になるのか考えて、行動を起こしましょう。

バランスを取ろう

公平さが発揮できていない場合

公平さが発揮できないと、決定を下さなければいけない場面で、えこひいきしてしまうことがあります。ある程度私心をなくすと、公平でいられる場合があります。

例えば、少し感情的に距離を置くことで、自分の子どもをひいきしないようにしていけます。しかし公正無私の態度が強くなり過ぎると、人の要求がわからない冷淡な人だと思われてしまいかねません。単なる不注意が原因で、公平さが発揮できないでいることもあります。家族といるときは強く発揮されるのに、職場では控え目になってしまうといったように、状況によって変わってしまうこともあります。

職場などの環境では、不公平な方針や手順に慣れっこになってしまい、「そういうものだから仕方がない」と思い込んでしまうこともあります。家族での不公平感は特に厄介です。何歳になっても、子どもたちは「親がえこひいきをしていて、自分は公平に扱われていない」という思いになることがあります。同じように、学校でも職場でも、学生や従業員が「先生や上司がえこひいきをしている」という気持ちになってしまいます。

前に不当に扱われた腹いせに、相手を公平に扱わないという場合もあります。このような場合

公平さ

には、「他の人たちが不公平でも、自分が公平な行動をしていけば、世界をもっと公平で素晴らしい場所に変える力になれるかもしれない」と考えてみるのが大切です。

公平さの出し過ぎ

「家族や仕事のチームの全員が完璧に幸せなままでいられるようにする」といったような目標に向かってしまうと、公平さを出し過ぎる羽目になってしまいます。そんな実現不可能な目標に向かって頑張ってしまうと、ストレスや緊張を抱えてしまいかねないのです。

何かに取り憑かれたかのように、どの子どもとも寸分違わず同じ時間を過ごすようにしようとしてしまうことがあります。どの学生も特別扱いされるべきではないと躍起になってしまいます。

しかし現実には、**人によって必要なものも求めているものも違いますし、公平についての考え方も違います。**そのため、全員の立場のバランスを取って解決するのは不可能ということもあるのです。公平に取り組んで、公平な結果にしようと努力するだけで精一杯ということもあります。

また、特定のグループに対する不正に夢中になってしまったり、大きなグループの目標に身を委ねてしまったりする人もいます。**自分自身を公平に扱えているかどうか確認して、人の利益のために自分の資源を使い切ってしまうことがないようにしましょう。**与え過ぎてしまうと、自分の能力と意欲が損なわれて、人の公平さのために戦うどころではなくなってしまいます。

55歳の人事部長、エイブリー・Jさんの例を見てみましょう。

公平さの最適な使い方：黄金律

公平な選択肢がないこともあります。数年前、勤務先の会社が人員削減を余儀なくされて、上司として誰を解雇するのか決めることになりました。公平な決定を下す方法などありはしませんでしたが、必死になって考えました。

部下はみんな、自分の仕事を精一杯こなしていました。他より子どもが多いとか、ひとり親だとかといったような個人的な事情を基に決定していくべきなのか。ありもしない正解を出せと言われて、不眠になったり、食欲がなくなったりして、本当に惨めな思いをすることになりました。

挙げ句の果てに体調を崩してしまいましたよ。なかなか決断できないせいで、自分まで解雇されそうになりましたね。自分にとって最高の強みだったはずの公平さに追い詰められる羽目になるとは。ようやく自分なりに最善の選択を下しはしましたが、解雇した人たちの中には、私のことを不公平だと思ったり、えこひいきをしていると思ったりしている人もいましたね。本当に傷つきました。

公平さ

公平さのモットー

人を平等にかつ公平に扱います。そして同じルールを適用して、機会を平等に与えます

想像してみよう

公平さを最大限に発揮して、1人1人の個性を尊重し、意思決定を行う状況の独自性を考慮しながら、全員を平等に扱おうとしている姿を想像してみましょう。

全員に同じルールを適用して、機会を公平に与えるように努力しています。職場や家庭で、自分が公平の原則を守れているか確認したり、決定が人に影響する場合には、力を尽くして、公平になるようにします。公平さを発揮する機会を見逃さないようにしましょう。同僚や家族が、「ずるい！」と文句を言い始めたら、どうやって対応しますか？　どんな性格の強みを発揮すると、公平に対応できますか？　「チームワーク」「誠実さ」「リーダーシップ」という強みをどうやって使ったら、正義の観点から論理的に考えられるでしょうか？　「寛容さ」「愛情」「親切心」という強みをどうやって使ったら、思いやりの観点から考えられるでしょうか？

VIA・24の性格の強み

リーダーシップ —LEADERSHIP—

リーダーシップについて知っておくべきこと WHAT WHY HOW

一口にリーダーシップと言っても、様々な形があります。性格の強みとしてのリーダーシップとは、グループをまとめて、激励し、良好な関係を維持して、目標を達成していけるようにしていくことです。

チームワークと同様に、グループの目標に向かって全力で取り組んでいくのもリーダーシップの一部ではありますが、取り組み方が全く違います。設定した目標を達成したり、効果的な支援を募ったり、連携を構築したり、気持ちを落ち着かせたりするのもリーダーシップの一部です。効果的なリーダーが前向きなビジョンやメッセージを示すと、献身的なメンバーに力とやる気がみなぎってきます。

最高のリーダーとは自分のことを熟知している人のこと。**自分の一番の性格の強みを理解していて、その強みを使って人の最大の長所を引き出す術を心得ています。**ＶＩＡ調査票のリーダーシップは、企業の社長や政治家などの大物が発揮する**「大きなリーダーシップ」**だけではありません。**「小さなリーダーシップ」**にも注目しています。様々なグループでリーダーを務めることに関わっているもので、グループ内でリーダーという肩書のない人でも発揮することがあります。

リーダーシップ

リーダーシップに優れていると、グループをまとめてうまく機能するようにし、グループ、学校、家族、会社の中にいる人の性格の強みを評価して活性化していけます。グループ活動を組織したり計画したりするのに力を発揮して、全員が「グループの一員として大事な役割を果たしている」と実感できるようにしていきます。リーダーシップが頂点に達すると、優れた社会意識と高い柔軟性を発揮して、様々な個性を発揮していきます。命令を下すこともあれば、任せることもあります。鼓舞することもあれば、支えになることもあります。

リーダーシップが大切な理由 WHAT WHY HOW

リーダーシップの強みの恩恵に関する研究成果には以下のようなものがあります。

・リーダーには社会的に尊敬されて評価されるという恩恵があります。
・リーダーシップは、感情の安定、率直さ、善良な社会的知性、良心と関係があります。
・リーダーは、グループをまとめあげ、グループの目的を効果的に達成することができます。
・優れたリーダーは、人の長所を最大限に引き出します。リーダーシップは、特に「熱意」「社会的知性」「好奇心」「創造性」「思慮深さ」「誠実さ」「自律心」などの主だった性格の強みを色々使うことで表現できます。

振り返ろう

自分のリーダーシップの強みについて振り返りながら、以下の質問について考えてみましょう。

- 自分のリーダーシップの強みを具体的にどのように表現していますか？
- 人を引っ張っているとき、どんな気持ちになりますか？
- リーダーとしての効果的な行動と、リーダーであることの醍醐味の違いは何ですか？　どうすればその違いをうまく調和させられますか？
- どんなとき、自分のリーダーシップに問題が生じる傾向がありますか？
- 今まで経験した最大のリーダーシップの成功と課題は何ですか？
- どんな性格の強みの要素を使ったら、共通の目標や目的に向かって、他の人たちがうまく協力作業できるようになりますか？
- どうやって、自分がリードするタイミングと人に任せるタイミングを判断していますか？
- リーダーシップを発揮すると人からどんな反応が返ってきますか？
- リーダーとして、仕事の遂行と協力関係の構築という2つの重要な務めを、どんなふうに意識していますか？

強み探し

62歳のコミュニティ・オーガナイザー、ロジータ・Bさんの例を見てみましょう。

子どもの頃のことは良く覚えています。学校でグループプロジェクトをしなければならなくなると、私はいつも人より口数が多かったのです。他の子がふざけたり、口をつぐんだりしていても、私は「さあ、どうやってやろうか？　役割分担はどうする？」などと言っていました。

なぜそんなことになったのかはわかりませんが、高校までずっと少人数制の学校だったことが役に立ったのだと思います。ずっと同じ子達だったので、自然と役割分担が決まっていきました。どこかで私がまとめ役になったような気がします。

そんな役割が私にはぴったりだったと思います。みんな私の話を聞いてくれて、誰も私のすることに腹を立てるようなことはなかったので。

仕事を辞めて専業主婦になったときも、結局同じパターンになりました。子どもが通っている学校に不満のある人たちがいたので、学校の理事会に参加して、声を上げて質問しました。1年経つと、理事に立候補するように言われ、5年後には理事長になっていました。

自分としてもリーダーを務めることに違和感はありません、周りの人たちも同じ気持ちだと思います。会議の議長をしているときに、みんなを巻き込んでいったり、みんなの意見が尊重されるように進めていけると、満ち足りた気持ちになります。

行動しよう

人間関係

・普段、交流のない人たちが集まるファミリーイベントを開催しましょう。
・家のことで何をする必要があるのかを考えましょう。自分が率先して仕事をしながらも家族と交渉して役割分担を決めましょう。適材適所を意識しましょう。

職場

・同僚のための社交行事を企画したり、同僚の誕生日、記念日、職場での功績を祝うイベントを開催したりしてみましょう。リーダーシップを発揮して、参加者や会場、アクティビティ、詳細な計画をまとめましょう。
・事業や課題、プロジェクトでリーダーを務めてグループの意見を積極的に募りましょう。
・これまでの人生の中でリーダーシップの模範となった人について考えてみましょう。そういった人はどんな行動をとっていましたか？　どのような基準を設けていましたか？　どんなリーダーシップの特徴を真似るのが一番良いでしょうか？

・部下と話し合って、一番の性格の強みをもっと仕事で発揮できるようにしましょう。

コミュニティ

・グループを組織してリーダーを務めることで、自分の信じる大義を支援しましょう。

・コミュニティでイベントを企画して、リーダーを務めて、最初から最後までコーディネートしてみましょう。

・活動、グループ、組織などで、リーダーシップを発揮する練習をする機会を探してみましょう。責任が小さくても構いません。

自分自身

・自分をリードしましょう。対策が取れていない自分の問題や難題、弱点について考えてみましょう。リーダーシップを発揮して行動計画をまとめましょう。途中で達成感を味わうのを忘れないようにしてください。

バランスを取ろう

リーダーシップを発揮できていない場合

リーダーに認定されている場合**（地位的リーダーシップ）**や、立ち上がってリーダーを務める状況になった場合**（状況的リーダーシップ）**に、強みを状況に合った形で発揮しようとしなかったり、責任を回避したりすると、リーダーシップが発揮できません。

モチベーションもなく、準備不足で、興味もなかったとしたら、リーダーシップは発揮できないのです。興味があっても、最高のリーダーの在り方について色々考えないと、リーダーを務めるのは難しいでしょう。

そんな場合には、自分の強みとチームのメンバーの強みを考えるようにすると、みんながもっと報われる成果につながります。リーダーシップを発揮するには、長い間エネルギーを使って、相当努力することが求められます。

そのため、リーダーシップの能力があっても、積極的にリーダーシップを発揮しないといけなくなると、圧倒されてしまって手を引いてしまうことがあるのです。**自分の強みやメンバーの強みに注目するようにしないと、リーダーシップの強みは十中八九発揮されなくなってしまいます。**

リーダーシップの出し過ぎ

リーダーシップを発揮し過ぎてしまうと、支配的になってしまって、横柄だとか意地悪だとか言われてしまうことがあります。これは、食い違いから起こることがあります。

例えば、リーダーと部下の個性が噛み合わなかったり、チームメンバーの強みと役割が噛み合わなかったり、リーダーシップの方法とチームの文化が噛み合わなかったりするなどです。そうなると、不満を持った人、反抗的な人、何にでも従う人が出てきますが、どれも家族、友人のグループ、チーム、学校、会社にとって最善なものとは言えません。

42歳の中小企業の経営者ボブ・Aさんの例を見てみましょう

経営者である私は、よく従業員とぶつかってきました。私の方が怠けてしまって、適材適所など考えずに、ああしろこうしろと口走ってしまったこともあります。横柄な上司だと思われてしまったのは間違いありません。イライラして従業員に怒鳴り散らしてしまったり、激しく口論をしてしまったりするのは、気持ちの良いものではありません。

しかし、上司として相手を思いやって支えていけば、ぶつかることも少なくなります。製品面で時間的なプレッシャーがかかると、ストレスを感じてしまいます。それで怒り狂ってしまうのが問題なのは、自分でもわかっています。そうなると、人の考えも、気持ちも、協力関係も、どうでもよくなってしまいます。理想を追い求めてしまって、作業工程に更に口出しするようになってしまうようです。

そんなふうにされたら誰だって気分が悪くなってしまいますよね。ですから他にストレスとうまく付き合う方法を見つけるようにしています。

リーダーシップの最適な使い方：黄金律

リーダーシップのモットー

指揮を取り、グループを有意義な目標に導きます。そしてグループメンバーの良好な関係を確保します

想像してみよう

思いやりを持って強みを基にリーダーシップを発揮している自分の姿を想像してみてください。複数の小さなグループをリードして、成果を上げるようにしています。過程を整理して問題を解決するだけでなく、自らも率先して貢献することでチームの力になろうとします。グループメンバーの関係を大切にし、メンバーの貢献を評価することで、長所や才能を積極的に使おうという気持ちになってもらえるように力を尽くし、メンバーの仕事に感謝することを怠りません。公平さや親切心、社会的知性の強みが大きな力になっています。このような強みが自分のリーダーシップでどんなふうに発揮されているのか注目してみましょう。

VIA・6つの美徳

節制の美徳

習慣を制御し、行き過ぎがないようにするのに役立つ強み

節制の美徳には勇気の美徳とは対照的な部分があります。

「勇気」は必要なときに良い行いをすることです。それに対して、「節制」は、悪事や社会的に好ましくないことを抑えるようにしていくことです。勇気と節制の心の動きは別物です。勇気は主に不安や恐怖という感情に関するものです。恐怖やリスクを感じた場合、勇気がなければ良い行いはできません。節制して行動する場合には、怒り、怠惰、傲慢といったような感情と戦っています。そのような感情が支配的になると、他の人やグループ、地域社会に害が及んでしまいます。

勇敢な人は「行動力のある人」と見なされる傾向があります。反対に節度のある人は、控えめで、思索的で、寡黙だと思われがちです。恐怖心のない人が行動しても勇敢だとは言えません。同様に、恐怖心が強すぎて行動に移せない人に節制という強みがあるとは言えません。どちらの場合も、自分がするべきことを理解して行動しているのではありません。感情を制御できずにただ振り回されているだけなのです。

節制には4つの強みがあり、それぞれの感情の役割は詳しく説明できます。

「寛容さ」という強みを発揮するには、不当な行為に対する怒りや悲しみ、恐怖という感情を克服する必要があります。

「謙虚さ」という強みは、注目されたいという欲求を抑えて、黙々と行動して示していくことに関係しています。

「思慮深さ」とは、衝動を抑えて、リスクを効果的にコントロールできるようになってから行動するようにしていくことです。

「自律心」とは、怠けずに目標を達成していけるようにすることです。

この4つの強みはどれも特定の行動と結びついてはいますが、強みを活かした行動を取るためには、抑えなくてはならない感情があります。

節制の強みについて説明する場合に、節度のある人が「取る行動」ではなく「取らない行動」を取り上げることがありますが、このように行き過ぎを抑えて私たちを守ってくれるのが節制の強みの特徴なのです。

寛容さで憎しみを捨て、謙虚さで傲慢さを抑え、思慮深さで悪い選択を避け、自律心で規律のない人生を送らないようにしていきます。

VIA・24の性格の強み

寛容さ ―FORGIVENESS―

寛容さについて知っておくべきこと WHAT WHY HOW

寛容さとは、自分に不当なことをしたり、自分を傷つけたりした人に対する理解を広げることです。それは、手放すこと、つまり不当な行為をされて生じるフラストレーションや失望、恨みなどの痛みを伴う感情を、できるだけ手放すことです。

寛容さとそれに関連する慈悲の特質を発揮することで、人の欠点や欠陥、不完全さを受け入れて、やり直しの機会を1度でも2度でも与えてあげます。復讐するのではなく、「過去のことは水に流す」のです。自分の人間性を奪った相手を人間として扱うようにしていく過程です（人は誰でも不完全だからという意味で）。

寛容さは憎しみを矯正する大きな力になります。寛容さを発揮すると、許された人が癒されるだけではなく、許した本人の方が癒されることの方が多いのです。

寛容さを発揮しても、過去のことや自分が受けた被害を忘れることにはならないということを明言しておきます。寛容になっても、未来の悪事を許すことにもなりませんし、自分を苦しめた相手が罰を受けるべきではないということにもなりません。自分が感じる痛みを否定することにもなりません。和解したり、壊れた関係を修復したり、信頼関係を回復していく必要もありません。寛容さとは、行動というよりは心理的な反応なのです。自分が感じる痛みを克服して、困難な状況でも慈悲の心を発揮していくようにします。寛容になって、加害者を赦していくだけでなく自分自身を癒していくことにもなるのです。

寛容さを十分に発揮していると、自分を傷つけた人に向けた恨みや批判を手放せます。状況を現実的に見て、自分が失ったものを正確に評価します。加害者が葛藤したり苦しんだりしている姿に人間性を見出し、相手にあわれみの気持ちを抱きます。

寛容さが大切な理由　WHAT　WHY　HOW

寛容さの強みの恩恵に関する研究成果には、以下のようなものがあります。

・謝罪は許しを促進します。
・相手との関係が親密で、献身的で、満足度がとても高いと、相手が過ちを犯しても赦しやすくなります。
・寛容さを発揮することで、人間関係が生産的になり、チームワークが発揮され、仕事の満足度が上がり、個人の士気が高まります。革新的な問題解決方法が見つかり、直面した難題に柔軟に対応し、生産性が向上します。

・怒りや心配、鬱、敵意などのネガティブな感情が減ります。
・感情が安定し、好感度が高まります。
・寛容さは、心理的幸福度や健康な生活習慣、社会的支援などの心身の健康に関係しています。

寛容さを強化する方法 WHAT WHY HOW

振り返ろう

寛容さの強みについて振り返りながら、以下の質問に答えてみましょう。

・どんな環境にいると寛容になりやすくなりますか？　人生で一番許しやすいのは誰ですか？　それはなぜですか？
・寛容になれない状況はありますか？
・人を許すとどんな気持ちになりますか？
・どうやって許す気持ちと責める気持ちの折り合いをつけていますか？
・許すことのメリットとデメリットは何ですか？
・過去に職場や家で誰かのことを許し難いと思ったことはありますか？　それはどうしてですか？

強み探し

68歳の元保守作業員、アンジェロ・Mさんの例を見てみましょう。

私は寛容さをとても大切にしています。ただ頭の中で許しが大事だと思っているだけではありません。不当な扱いを受けたときに、許しの気持ちを実践してきたのです。友人といるときに強盗に襲われたことがあります。

運良く通りかかった警察官が強盗を捕まえてくれたのですが、友人はその経験がトラウマになってしまいました。その彼は、1年経っても動揺がおさまらず、強盗に襲われて恐ろしい思いをしたことに腹を立てたままでした。しかし私は、許しを実践するいい機会だと思いました。「お金に困っていて、強盗せざるを得なかったのかもしれない。そうでなくても、私には許せる」、そう考えると、怒りも動揺も収まっていました。もう思い悩まずに、前に進んでいけるとわかったのです。

行動しよう

人間関係

・人のせいで傷ついたり失望したりすると負の感情が生まれます。それを過去のものにし、前に進んでポジティブな経験を生み出していこうとする場合、寛容さが発揮されています。コミュニケーションや心の絆を断ち切って失敗するくらいなら、家族や友人と話し合って失敗した方が良いのです。何か不当なことをされたら、そこだけ切り取って考えるのではなく、相手との人間関係全体の中で捉えるようにしましょう。大切な人とどうやって話し合ったら許せるようになるのか、考えてみましょう。

・恨みを持っている人のリストを作成します。その中から1人選んで、直接本人に会って話をしてみましょう。それが難しければ、本人と会話をしている姿を思い浮かべて、相手を赦して過去を水に流すイメージトレーニングをしてみましょう。

・ネガティブな出来事にもポジティブな面があったかもしれません。それを書き出してみると、寛容さを高めていけます。少し不快に思えるようなことをされても、自分にとってどんなメリットがあるのか書き出してみましょう。

職場

・最近、上司、部下、同僚の言動で少し気を悪くしたことについて考えましょう。意見が合わない場合でも、相手の観点からそのことを振り返ってみて、怒りを過去のものにする練習をしましょう。

・職場で誰かに腹が立った場合は、相手がすべて悪いとすぐに決め付けてしまわずに、立ち止まって、「これからポジティブに成長して変化していく必要がある複雑な事情のある人」

だと考えてみましょう。

コミュニティ

・些細なことを気に留めずに受け流してみましょう。例えば運転中に割り込まれても、無視されたり気持ちを汲んでもらえなかったりして侮辱されたと思っても、受け流してみましょう。

自分自身

・自分に寛容になりましょう。些細なミスを犯してしまっても、自分を許して気持ちを和らげましょう。ミスを犯してしまった自分を許しながらも、次はもっと上手くやると心に誓うようにします。

バランスを取ろう

寛容さを発揮できていない場合

公平さとぶつかると、寛容さが十分に発揮されないことがあります。例えば、誰かに不当な仕打ちをされた場合、公平に扱ってもらえなかったことに腹を立て、相手が罰を受けるべきだと思ってしまいます。寛容になると、相手を簡単に許してしまっているように思えてしまうのです。

寛容さ

自分を守ろうとするあまり、寛容になれないこともあります。「見逃してしまうと後でまた傷つけられる可能性があるから、許してしまうのは危険だ」と感じてしまうのです。「自分を傷つけた人との関係を修復してしまうと、また傷ついたり失望したりするかもしれないと怯えながら生きていくことになってしまう。反対に、許さずに敵視し続ければ、また何かされても傷口が広がりにくい」という気持ちです。そんな状況になったら、「大局観」「知的柔軟性」「親切心」「公平さ」などの性格の強みを使ったらどうなるのか考えてみましょう。自分の支えとなってくれる人たちが、そんな強みを与えてくれるかもしれません。

自分に寛容になれないこともあります。失敗したときに自分の欠点や過ちを許せずに、自分を批判し過ぎてしまうのです。どんな形であれ寛容さを使いこなせないと、心身の苦しみを抱えることになってしまうのは明らかです。

寛容さの出し過ぎ

快く許す気持ちが強いと、寛容になり過ぎてしまうことがあります。この場合、親切心の場合と同様に、玄関マットのように、どれだけ踏みつけられても何もせず黙りこくるだけで、相手のなすがままになってしまいかねません。

相手や状況によっては、やり直す機会を与える価値がないこともあります。最適な対処法は、相手や状況次第で変わってきます。許すからといって、忘れ去ったり、罰を受けてもらいたいという気持ちを捨て去ったりすることにはなりません。人の幸せも、自分の幸せも、許す人次第なのです。

57歳の配達員、トレイシー・Tさんの例を見てみましょう。

私は、許してしまうことで、色々傷ついてきたんだと思います。上司に利用されたこともあります。色々やらされて遅くまで残業する羽目になったり、人の仕事を押し付けられたりしました。仲間に「君はいいカモだよ」と言われてしまったことがあるくらいです。

自分の子どもたちも同じでしたね。意地悪で、反抗的で、いつも口答えしてきました。夫には子どもたちに厳しくするように言われたのですが、すぐに許してあげていました。

愛しているからこそ許せる、そう自分に言い聞かせていたのです。子どもたちも寛大な人になってくれるだろうと。しかし子どもたちは今でも、悪さをしてもすぐに許してもらえると思ってしまっています。なかなか自分の行動に責任を取ろうとしてくれないのです。がっかりですね。

寛容さ

寛容さの最適な使い方：黄金律

寛容さのモットー

人に腹が立ったり、仕打ちを受けたとしても相手を許します。そして、その情報を相手との将来の関係に活かしていきます

想像してみよう

寛容さを高めていきたいと考えている自分の姿を想像してみましょう。まずは小さなイライラに注目して、それを手放すことから始めます。車を運転していて割り込まれても、イライラしないようにします。次に、愛する家族や友人の突飛な行動や些細な欠点を見過ごすようにします。そうすると、やがてもっとひどいことをした人でも許せるようになっていることがわかります。それぞれの段階で、許す気持ちとそのプラスの効果に気づいていきます。寛大な気持ちは、相手だけでなく自分への贈り物にもなることを思い出します。「情けは人のためならず」。

寛大さを使い過ぎることがないように、大局観を維持しながら、公平さと愛情を発揮して、自分と人の幸せを広い視野で捉えるようにしていきます。

VIA・24の性格の強み

慎み深さ（謙虚さ）―HUMILITY―

慎み深さについて知っておくべきこと WHAT WHY HOW

慎み深さとは、自分の成果を正確に評価することです。自惚れないこと、やり過ぎてしまわないこと、注目を浴びようとしないこと、自分のことを人よりも特別で大事な存在だと思わないことです。だからと言って、人の願いや要求をすべて聞き入れることでもなく、激しく自分を批判することでもありません。**本当に謙虚な人は、自分のことを評価して、自分が何者なのかきちんと理解していますが、自分の過ちや無知さ、不完全さも自覚しているのです。注目の的になったり、成果を褒められたりしなくても、満足できることが何より大切です。**

控えめさは、謙虚さの中でも外的な部分で、自分で選択したり外見でアピールしたりして注目が集まらないようにしていくこと、目立ちたがり屋になろうとしないことです。実際に、謙虚な人は、目立とうとせずに、人混みの中に溶け込む方が良いと考えます。

謙虚であれば、人を優先したり、人に注目したり、人にスポットライトが当たるようにしたりしていくようになります。そうすると自然と人に好かれるようになります。

謙虚な人は簡単に友達が作れます。謙虚さを発揮すると、傲慢な態度で自分だけが得をしようとしたり、エゴに突き動かされるようなことがなくなります。

謙虚さを十分に発揮していると、バランスのとれた正確な視点で自分を捉え、広い世界での自分の居場所を見極め、自分の至らないことがあるのを認め、人の成功を助けていけます。

慎み深さが大切な理由 WHAT WHY HOW

慎み深さという強みの恩恵に関する研究成果には、以下のようなものがあります。

・慎み深さは、自尊心や自己肯定感につながります。
・慎み深い人は、感謝や寛容さ、スピリチュアリティ、健康全般のレベルが高まります。
・社会的な絆が強まります。さらに、研究によると、謙虚だと、貢献度や愛嬌、寛大さも高まります。
・慎み深いと人に愛され、人の脅威にならなくなります。精神的に安定して、自律心が高まり、自分のことで精一杯にならなくなるというメリットもあります。
・研究で、慎み深さが忍耐力や自律心、親切心と繋がっていることがわかっています。
・死への不安が減って、宗教的に寛容になることがわかっています。

慎み深さを強化する方法 WHAT WHY HOW

振り返ろう

謙虚さという強みについて振り返りながら、以下の質問に答えてみましょう。

・謙虚さの利点は何ですか？
・自分の謙虚さに周りはどんな反応をしますか？
・自分の謙虚さの源は何ですか？　謙虚さをどうやって表現していますか？
・謙虚さが自分の人生で邪魔になるのはどんなときですか？
・謙虚さと承認欲求の折り合いをどうやってつけていますか？

強み探し

60歳の元学校教師、グレイス・Dさんの例を見てみましょう。

ＶＩＡ調査のおかげで、慎み深さが自分の一部だという実感が湧いてきました。誰かに指摘されないと気づかないのも、慎重さゆえかもしれませんね。

何度か年間最優秀教師賞などの賞をもらったことがあります。「嬉しいけど、ただ自分の仕事をこなしていただけだ」と思っていました。絵を描いたり、教室で何か創造的なことをしたり、私はただ自分にとって楽しいことをしているだけでした。それで成功できているという実感はありましたが、人目につかないところでやっているから楽しいという気持ちもありました。楽しいと思えるからやっている、ただそれだけのことだったのです。

謙虚でいられたおかげで、自分の子どもや夫の求めにも長年色々応えてあげられました。それが家族みんなのためになったと思います。

教師の中には、大口を叩く人もいます。自分がどれだけ素晴らしいのか、どれだけ優れた先生なのか、どれだけ素晴らしい実績があるのか、口にせずにはいられないのです。私にはそんな姿が少し哀れに思えました。私の気を惹こうとしているのか、注目を浴びるためだけに、わざわざ特別なことをしているように思えてなりません。黙って仕事をこなしている人が素晴らしい仕事をしていることがわかると、自慢げに実績を披露してくる人よりも、信頼できます。

私は美術史を教えていました。現代芸術が大のお気に入りなのですが、生徒に芸術家がいると、中には安っぽいことを色々言って注目を集めようとする人がいて、気分が悪くなりましたね。

ある芸術評論家の言葉に「まず謙虚でなければ偉人にはなれない」というものがあります。それは芸術以外の分野にも当てはまります。日の目を見なくても、黙々と偉業を成し遂げていくのが、真の偉人というものです。

行動しよう

人間関係

・人間関係で特に謙虚でありながらも自分を批判しなかったときのことを書き出してみましょう。
・謙虚になる心構えをしてから、親しい人とコミュニケーションを取りましょう。次の状況でどうやったら謙虚に行動できるか、数分考えてから話をするようにします。
・信頼している人に自分が苦労しているところと改善の余地があるところについてフィードバックをしてもらうように頼んでみましょう。

職場

・謙虚さを発揮して、同僚のアイデアにきちんと耳を傾け、いいアイデアだと思ったら相手を褒めましょう。その場合、自分のアイデアを付け足さないようにします。
・自分がグループやチームの他の人たちと比べて喋り過ぎてしまうことがあれば、他の人に注目するようにします。
・相手のことより、自分の欲求や感情、興味の方に注目してしまう状況について考えてみましょう。次にコミュニケーションするときには、相手の希望、要求、観点、アイデアを聞くことに時間の大半を割くようにしましょう。

コミュニティ

・自分が謙虚になれないグループがないか考えてみましょう。もしあれば、別の方法を試してみましょう。

・自分のコミュニティで謙虚さの手本になる人を探してみましょう。その人が謙虚だと言える証拠についてよく考えてみましょう。自分が気づいたことを他の人に話してみましょう。

自分自身

・自分の性格の強み、才能、興味、力量をじっくり観察して評価してみましょう。静かな場所に座って、このような強みと向き合って、前向きで楽天的な気持ちで、バランスを取りながら、謙虚さを忘れないようにして自分の強みを評価していきます。

バランスを取ろう

謙虚さが発揮できていない場合

自分が人より優れていて重要な人間だと自惚れてしまうと、謙虚さをきちんと発揮できていません。文化によっては自分自慢をしてしまうと罰を受けることになります。**謙虚さを特徴的な強みとして持っている人が世界的にも比較的少なく、謙虚さと他の性格の強みの結びつきも比較的弱いことからみると、謙虚さを発揮し切れない文化が多いかもしれません。**

分野によっては、業績を自慢することは成功の大切な部分です。謙虚さが発揮できない状況は、文化によって違ってきます。

自分の成功や偉業を、たとえ少しだけでも人に伝えれば、評価してもらえて気分が良くなると思うのは自然なことです。良いことがあったことを人に伝えると、話し手と聞き手の両方の幸福度に良い影響があることもわかっています。つまり、自分の性格の強みに関する話やその日の良い経験、ポジティブな貢献や成果などを人に伝えるのは、普通で健全なことなのです。

しかし、自惚れて自分自慢をしてしまったり、ただ自分を売り込むことだけが目的になってしまったり、職場で「自分ほど親切で公平な人間はいない」などと口にしてしまったら、謙虚さが発揮できていません。

誰にでもエゴが必要になることがありますが、それは時間と共に変化するものです。誰にでも自分のことを認めてもらいたいという欲求があるため、普段はとても謙虚な人でも、状況によっては、気づくと自分を売り込んでしまっていることもあります。自分が成功するのにどれだけ他の人が貢献してくれたのか忘れてしまったり、他の人がほめられていても自分がほめられていないと、相手のことを評価できなかったり、ライバル意識が剥き出しになって相手の業績を評価できなくなってしまったりして、いつの間にか謙虚でなくなってしまっていることがあります。

謙虚さの出し過ぎ

謙虚になり過ぎてしまうと、自分を卑下したり、自分を批判し過ぎてしまったり、卑屈になってしまったりします。適度に謙虚でいられると、ほどよい自己肯定感を保ちやすくなりますが、それでも謙虚過ぎるのは問題でしょう。自分に悪いイメージを持ってしまっている証だからです。

謙虚になり過ぎて、自分のことをもっと知りたいと思ってくれている人にまで遠慮してしまうと、人間関係が育めません。自分のことを相手に知ってもらう機会がなくなったり、相手に秘密を持っていたり、自分のことを明かしてくれない人だと思われたりするからです。謙虚になり過ぎてしまう場合、自分を信じられなかったり、否定してしまったりするのが原因になっていることもあります。

30歳の放射線技師、サチヒロ・Mさんの例を見てみましょう。

私は自分のことを謙虚だと思っています。長々と自慢話をすることはありません。人に質問をして話を聞かせてもらって、人生を楽しめればそれでよいと思っています。仕事にも恋愛にも不満はなく、特に頑張って最高のものを手に入れたり、最高の人になろうという思いはありません。今のままで満足なのです。

仕事で必死になって昇進しようとしている人や、人間関係をもっと良いものにしていこうと頑張り続ける人を見かけると、自分ももっと頑張って、成果を上げて、言葉巧みに伝えて、出世していけるようにしたほうがいいのかなと思ってしまうこともあります。

私は口数が少ないので、人には自分の表面的なところしか伝わっていないことが多いと思います。自分が抱えている問題や、コミュニティに貢献している活動について、自分から熱弁を振るうことはありません。それで初対面の人との間に壁ができてしまうのはわかります。本当の自分をわかってもらえないから……。

人生で色々難題を乗り越えてきましたが、そんな経験をすべてわかってもらえることはありません。自分の経験を語って人を元気付けている人もいます。私にもその気になればできるとは思うのですが、なかなかそうはいかないですね。

慎み深さ（謙虚さ）の最適な使い方：黄金律

慎み深さ（謙虚さ）のモットー

自分の長所や才能を認めながらも、注目の的になろうとしたり、認めてもらおうとせず謙虚になります

想像してみよう

人生の主な活動場所で謙虚になっている姿を想像してみてください。仕事や地域組織など、謙虚になれていない場所はありますか？　もしそんな場所があれば、もっと謙虚に振る舞うようにしてみましょう。そんな場所で、様々な人に寄り添い、相手を持ち上げて、仕事を称えてみましょう。思慮深さを発揮すると、どうやったらそんなふうに謙虚さを発揮できるのか、計画できるようになります。

自分で気づいている性格の強みを、人生で表現していきます。自分に正直で、自分のことをわかっていて、臆することなく本当の自分を見せていくのです。自分の成功や業績、その日あったよい出来事などを人に伝えていきますが、それを力説したり誇張したりすることはせず、自分が他の誰よりも特別な存在だと考えることもありません。

仕事や家族という枠組みの中だけでなく、人生という壮大な枠組みの中で、人間であることの価値や人や自分の立ち位置の価値を見出しています。

思慮深さ（慎重さ）―PLUDENCE―

思慮深さについて知っておくべきこと　WHAT｜WHY｜HOW

思慮深さとは、注意深く選択すること、行動する前に立ち止まって考えて、自制心を発揮していくことです。思慮深い人は、無駄なリスクを冒さず、後悔するような言動は控え、後先のことを考えて行動することができます。思慮深さとは、実践的な推論の一種で、自分の行動結果の可能性を客観的に考えて、検証しながら自分自身をコントロールする能力のことです。

また、思慮深さとは「賢明に注視していくこと」と言えるかもしれません。この強みを発揮するには、注意して選択したり、きちんと意志決定をしたりする必要があります。思慮深い人でもリスクを取って直感的に行動してしまうことはあります。それでもメリットとデメリットを秤にかけ、行動する前に考え抜いて、情報が増えてから実行に移していきます。思慮深さを存分に発揮する場合と、成長したり目標に近づくことを見越して計画を立て、注意を払い、全体像を捉えて、妥当な範囲内でリスクを冒していきます。

思慮深さ（慎重さ）が大切な理由　WHAT｜WHY｜HOW

思慮深さという強みの恩恵に関する研究成果には、以下のようなものがあります。

・思慮深さは知性や楽観主義と関連があります。
・思慮深さを発揮すると、体が健康になり、仕事や学業成績が上がりやすくなります。
・肉体的・精神的な災難を避けるのに役立ちます。
・思慮深さは、協調性や自己主張、優しさ、洞察力と関係があります。
・思慮深くなると、生産性で良心的になる傾向があります。思慮深い人は、成功する可能性が高いと思っていなければ同意しない傾向があるからでしょう。

思慮深さ（慎重さ）を強化する方法

WHAT | WHY | HOW

振り返ろう

思慮深さという強みについて振り返りながら、以下の質問に答えてみましょう。

・思慮深くなると自分にどんなメリットがありますか？
・大小を問わず、思慮深さは人生でどんなふうに役立ってきましたか？
・人生のどんな場面で思慮深くなったり、ならなかったりしますか？
・自分が思慮深くなると周りからどんな反応がありますか？
・リスクを冒さなかったことを、どんなふうに後悔していますか？

強み探し

38歳の中間管理職、ジャン・Fさんの例を見てみましょう。

私は昔から控えめでした。高校時代の友達が羽目を外していても、私はいつも慎重でしたね。仲間ほど冒険心がなかっただけなのかもしれませんが、傷付くリスクを考えただけで何かするのが楽しくなるということはありませんでした。それは大人になっても変わりません。仕事でリスクを冒すのは、計算してみて報われる可能性が高い「想定内のリスク」のときだけでしたね。報われるとは限らなくても、確率を大切にします。勝つ確率がほぼない宝くじも買いませんし、ギャンブルも好きではないです。それなら、仕事で成功する可能性があると思えるプロジェクトにボランティアで参加するほうがましです。成功すれば会社での評価が上がって、会社も私をこの先も雇いたくなるでしょう。

成功の確率を考えないと思慮深くはなれないと思っています。もう何年も人の相談に乗ってきましたが、私のところに来る人には「成功する確率はどれくらいですか?」と聞くようにしています。みんな確率という観点で考えたことがないのかなと思ってしまうことがありますね。欲しい物を手に入れたがりますが、それが実現する確率なんて計算していません。実現させるには、どれだけ頑張らないといけないのか考えてもいないので、選択を誤ってしまうのだと思います。

行動しよう

人間関係

・別のプロジェクトや課題に取り組む前に、信頼できる友人や大切な人に相談して、相手の意見を聞いてみましょう。

・身近な人間関係で、一呼吸して少し考えてから言葉にしてみましょう。1週間どのような効果があるのか注目してみましょう。

・思慮深くなったおかげで人間関係が良くなった経験を吟味してみましょう。

職場

・行動する前に物事を整理、計画したりして、ミスをしたりゴールに届かなかったりするリスクを最小限にしている場合には、思慮深さを発揮しています。時間をかけて計画を立ててから作業を始めることで、詳細と長期的な目標を忘れずに作業することができます。

・仕事中、困難な状況やリスクの高い状況に直面した場合には、費用対効果の分析を行いましょう。「X」をする利点は何ですか？　「X」をする代価は何ですか？　「X」をしない利点は何ですか？　「X」をしない代価は何ですか？

・仕事に関係がなく、集中の邪魔になるものを全部片付けてから、仕事のプロジェクトで大事な決定を3つ下してみましょう。
・一見簡単だと思える決定を下す場合でも、1分間じっくり考えてから行動しましょう。

コミュニティ

・自分のコミュニティで熱い議論が交わされていたら、会合に参加して、慎重派の代弁者になれないか考えてみましょう。両者の意見を聞いてから発言して、両者が受け入れられる妥協策を提案できないか考えてみます。
・安全運転を心がけましょう。その際、自分が心と体で感じ取っているものに注目して、緊急対応しなくてはならないほど時間に制約があるものは案外多くないということを心に留めるようにしましょう。

自分自身

・1日の残りの時間をどう過ごすか計画を立ててみましょう。1時間毎の予定を書き出してみましょう。その予定に関する自分の考えや動機、欲求、感情について考えて下さい。

バランスを取ろう

思慮深さが発揮できていない場合

その場しのぎで反射的に行動してしまうＳＮＳ文化では、「即レス」が求められるため、じっくり考えて行動したり文字にしたりできなくなってしまうことがあります。思慮深さが発揮できていないことが多いのです。過剰なもの、色鮮やかなもの、刺激的なものでないと集中力が続かなくなってしまっているのも、この現象の一因です。

思慮深い人は、慎重になると心が落ち着くものですが、直感的に行動できないことに不甲斐なさを感じたり、周りから「無鉄砲に行動してみろ」というプレッシャーを掛けられているかのような気持ちになったりすることもあります。その反動で、思慮深いはずの人が、突拍子もないことをしでかしてしまうことがあるのです。例えば、細かく計画を立てたいという衝動を抑えて、あえて気分の赴くままに旅に出かけてしまうといった具合です。それでうまくいくこともありますが、望ましくない結果になってしまいかねません。

思慮深さの出し過ぎ

思慮深くなってしまうと、頑固、融通が利かない、自分を抑えすぎ、消極的などというレッテルを貼られてしまうことがあります。思慮深さのバランスが悪く、不健全な形で表に出ている証拠です。思慮深さの使い方を間違えているのです。思い切って自分の殻を破ってチャレンジしてみることから逃げ続けているならば、慎重になり過ぎてしまっているのかもしれません。何が起こるのかわからなくて不安になってしまい、慎重になり過ぎてしまうこともあります。慎重になり過ぎてしまうと、人間関係が発展しなかったり、自分を改善できなかったり、出世できなかったりすることもあります。

58歳のファイナンシャル・プランナー、ビル・Tさんの例を見てみましょう。

リスクを冒すのを恐れて、報われるはずのチャンスを逃してしまったこともあります。もう少し仕事を引き受けていたら、こなせていたかもしれません。それでも、自分なりのやり方があって、それをリスクを冒してまで変えようとは思いませんでした。

妻と出会うまでに時間がかかったのも、出会い方に限りがあったからです。人と会っても、ちょっと堅苦しいというか、気取っていると思われてしまうこともありました。思い切って大胆な行動を取ってみて、それでうまくいくことも多いのですが、そんなふうに行動するのは自分の性に合いません。確かに、私のような慎重な性格はファイナンシャルプランナーという仕事には合っています。家族やクライアントのために良い投資をするのに役立っています。それでも、融通が利かなく、安全なポートフォリオに固執してしまって、資産を増やせなかったことも何度かありますね。

思慮深さの最適な使い方：黄金律

思慮深さのモットー

注意深く、用心して行動します。そして不要なリスクを避け、将来を思い浮かべながら計画します

想像してみよう

人生で最適な方法で思慮深くなっている姿を想像してみてください。時間を守り、敬意を忘れず、自律心と自制心を発揮して、仕事や家族のために1日や1週間の予定を慎重に立てています。難題が発生すると、衝動的に反応せずに、立ち止まって状況を考え抜いていきます。知的柔軟性を使って問題の詳細に注目して、誠実さを発揮して自分の解決策や計画を人と共有していきます。

あまり慎重にならなくても安心できる部分や、勇敢になるべきタイミング、思慮深くなるべきタイミング、勇敢さと思慮深さの強みを同時に発揮するべきタイミングがあることをわきまえているのです。

VIA・24の性格の強み

自律心 —SELF-REGULATION—

自律心について知っておくべきこと WHAT WHY HOW

自律心は複雑な性格の強みです。食欲や感情をコントロールしたり、自分の行動を調節したりすることと関係があります。**自律心が強い人は、効果的に物事を実行できるという自信（自己効力感）が適度にあり、目標を達成できる可能性が高まります。**失望したり不安になったりしても、ネガティブな気持ちをコントロールできるため、周りから評価されています。自律心を発揮すると、人生のバランスが取れ、秩序を保ち、進歩できているという気持ちを保ちやすくなります。

自律心のある人は、足ることを知っています。自律心を十分に発揮していると、自制心を使って、健康習慣や感情、衝動などをコントロールしながらも、自然と湧き上がってくる喜びを味わい、適度に柔軟性を発揮しながら日課をこなしていけます。

また、「自制」が大切になってきます。食べ過ぎたり、飲み過ぎたり、買い過ぎたり、活動し過ぎたりすることがないように、慎重に決断を下していきます。だからと言って、全部完全に抑え込んでしまうわけではありません。**自律心のある人は、行動を自分で管理し、目標を追求しながら、特定の基準に従って生活するという感覚が、とても強くなっています。**

自律心には色々な形があり、習慣、行動、衝動、感情だけでなく、注意力も管理できるのです。注意力を自分で整えていくのは、一般的に「マインドフルネス」と呼ばれているものです。マインドフルネスを実践する人は、自分をある程度抑えて、呼吸やロウソクの炎、愛する人の笑顔、一口の食べ物、歩行時の体の動きといったような「今この瞬間に起こっていること」に、注意を向けていきます。このようなマインドフルネスの目的は、今の状態に留まり続けることではなく、現状に絶えず立ち戻ることです。そのために自律心という強みが必要になってきます。

自律心の敵は、いわゆる「遅延割引」です。これは、後でもっと良いものが得られるのがわかっていても、手近なもので済ませてしまうことです。短期的な結果よりも長期的な結果の方が望ましいことがわかると、自律心の強い人は、長期的な結果に注目します。

自律心を十分に発揮していると、飲食、睡眠、運動などの健康習慣をコントロールして、色々な状況で自分の感情や衝動を抑えるように最善を尽くします。しかし、完全に制御できるものではないため、自律心がぐらついてしまったら、セルフコンパッションと、自分への寛容さを発揮します。

自律心が大切な理由 WHAT WHY HOW

自律心という強みの恩恵に関する研究成果には以下のようなものがあります

・幼少期にうまく欲求充足を遅らせることができると、将来学業的にも社会的にも成功する可能性が高まります。その成功には持続性があります。
・自律心が強い人は、**そうでない人と比べて、感情をコントロールしています。**不安や鬱の症状が少なく、怒りをうまくコントロールし、全般的に人とうまく付き合うことができます。
・自律心は、学業やスポーツ、仕事などの努力を要する分野で業績の目標を達成したり、成功を収めていくことに関連しています。
・自律心を発揮すると自己調整能力が高まり、心身の問題が減り、人間関係での自己受容と自尊心が高まっていきます。
・自律心は、依存症の予防と管理に役立ちます。

自律心を強化する方法 WHAT WHY HOW

振り返ろう

自律心という強みについて振り返りながら、以下の質問に答えてみましょう。

・人生最大の成功をつかむ上で、自律心はどのような役割を果たしていますか？
・人生で一番自律心を発揮できている分野は何ですか？
・どうやって不要な衝動をコントロールしていますか？　どんなテクニックや方法を使って

いますか？

・感情や衝動をコントロールするのが一番難しくなるのはどんな場所や状況ですか？

・自律心を効果的に発揮できていないと、どんな考えが浮かんだりどんな気持ちになったりしますか？

・友人や家族、同僚、知人などは、自分の自律心についてどんな反応をしますか？

・もっと自律心を発揮すると、人生のどんな分野が改善するでしょう？

・曖昧な状況や予測できない状況で、自律心は忍耐力にどんなふうに影響しますか？

強み探し

63歳の元事業主、イーサン・Eさんの例を見てみましょう。

私よりも自律心が強い人はたくさんいますが、自分なりにかなり良い生活習慣を身につけてきたことは間違いないと思います。父が若くして亡くなると、自分の健康が不安になりました。長生きして3人の子どもたちの成長を見届けたいと思った私は、自分の体調を整えることにしました。朝6時起きでも毎日欠かさずジムに通い、酒を控え、もっと健康食品を摂るようになりました。

環境問題に関心を持つようになった私は、自分のコミュニティで環境団体を立ち上げました。新しい取り組みが軌道に乗ってきていると思います。何かやろうと思い立ったら自分を律して、実現を目指して集中していくことが大切です。短期的には犠牲にしないといけないこともありましたが、長期的には、その恩恵に預かることができました。

今、自分が成し遂げてきたことを振り返って満足できるのは、この考え方のおかげです。

行動しよう

人間関係

・より経済的に自立をするといったような、解決に時間と規律が必要な家族問題について考えてみましょう。腰を据えて、目標を達成するための手順と、克服すべき問題点を書き出してみましょう。手順ごとに制限時間を設定します。家族のために自律心を発揮して取り組んでみましょう。家族と一緒に取り組んでみるのもよいでしょう。

・今までの運動やウォーキングの方法を変えてみましょう。親しい人にも加わってもらいましょう。

・次に人間関係で腹が立つことがあったら、一歩下がって時間をとって、自分を落ち着かせましょう。どんな気持ちになっているのか探ってみましょう。その怒りは、傷ついているから？　悲しんでいるから？　不安だから？　自分の感情を誰かに穏やかに伝えるべきなのか、お風呂につかったりして自分を思いやるようにするべきなのか、考えてみましょう。

自律心

職場

・人や自分の仕事に悪影響を与えかねない感情や衝動を管理できるようになっていると、自律心が発揮できてきます。感情をコントロールする最初のステップは、プロジェクトに取り組んでいるときや同僚と話しているときに、自分の感情を意識することです。

・仕事での長期的な達成目標を考えましょう。目標達成のために書き出しておいた手順に従って自律心を発揮しましょう。

・日頃から自分の姿勢に気をつけましょう。前屈みになっていたり、座り心地が悪かったり、姿勢が悪いことに気づいたら、矯正してバランスを整えましょう。毎日数回実践して、意識を高めるようにしましょう。

コミュニティ

・地域やコミュニティ密着型イベントでやるべきことをを書き出してみましょう。行動計画を立てて、実行に移しましょう。

自分自身

・注意力をコントロールして、自律心を内に向けてみましょう。前に述べたように、これはマインドフルネスという瞑想の練習です。自分自身、つまり自分の思考や身体感覚、感情、動機、行動に注意を向けます。それぞれの意識の要素がどのように変化するのか観察しましょう。ネガティブな経験をしても、その意識を継続して、どれか1つの要素にとらわれてしまうことがないようにしましょう。

・日常生活をもっと効率的に整理しましょう。キッチンを整頓したり、朝の支度をしたりするのにもっと良い方法がないか考えてみましょう。その整理方法をもっと大きな問題にも使いましょう。

バランスを取ろう

自律心が発揮できていない場合

自律心が発揮できないことは深刻な問題です。慢性的に発揮できないと、多くの個人的・社会的問題を抱えることになってしまいます。

つまり、自律心を相当発揮しないと、自分の生活が大混乱に陥り、コミュニティが混沌としてしまうということです。自律心が上位の強みでなくても、自分で思っている以上にこの強みを発揮できる能力が備わっています。自律心を発揮できるかどうかは、状況次第で大きく変わってきます。例えば、「8時間の勤務時間の間はうまく自分の感情や衝動をコントロールできても、その後になると自制が効かなくなって食べ過ぎてしまう」といったようなことが起こりうるのです。

自律心は筋肉に似ています。酷使してしまうと、最短7分で疲弊してしまい、使用不足に陥ります。トレーニングで強化できるというところも同じです。

分野によっては、自律心が発揮できないことがあります。性欲、金銭、飲食、労働、運動、集中力（注意散漫）、感情、衝動や反応、体の姿勢などの重要な分野で自律心を発揮できていない人が多いのです。自律心を1つ発揮できていない分野があっても、他の分野では発揮できている場合には、その分野をよく研究することで、自分の自律心の習慣について理解を深めることができます。

「どうしてお金とエクササイズはうまく管理できるのだろう。この部分で使えている自己管理の習慣や方法を使ったら、他の苦手な分野を改善していけるのか？」といったような問いをぶつけて答えてみましょう。

自律心の出し過ぎ

状況によっては自律心を使い過ぎてしまうことがあります。**「過剰制御」**と呼ばれるものです。自己管理を徹底しすぎてしまうと、害が及ぶこともあります。

例えば、飲食や運動のあらゆる面をすべてコントロールしようとしたり、浮かんでくるネガティブな感情をすべて押し殺そうとしてしまうことがあります。そうなってしまうと、自律心でがんじがらめになって身動きが取れなくなってしまっていると思われてしまいかねません。

生活習慣で自己管理が行き過ぎてしまうと、人間関係に大きな支障が生じることがあります。

時に「偉そう」と思われてしまうこともありますが、実際にはその人達は深く苦しんでいることも多いのです。

28歳の劇作家兼女優のロビン・Pさんの例を見てみましょう。

私は舞台女優として、役を演じるだけでなく、体現したいと思っていました。新しい役を演じたり、オーディションを受けたりする場合、自律心が前面に出てきます。私は健康な細身の女性を演じることが多いので、朝から晩まで四六時中食事や運動に気を配っていました。

ある役を演じることになったときに、自己管理が行き過ぎてしまったのを覚えています。運動しかしていなかったわけではありませんが、一日中運動のことで頭がいっぱいでした。自己管理を徹底して、色々な運動を1日に何度もして、毎日計画通りに食事を摂っていました。

数カ月間、全て予定通りに行動しましたね。友人や家族と食事に行くのは控え、カフェでスナックをつまむことさえしませんでした。健康な量を摂ってはいましたが、徹底的に食事を管理していましたね。そんな風に自分を律する生活が気に入っている部分もありました。目標をしっかり持って、成功していたからです。

しかし、当時は仲間や恋人ともうまくいかなかったので、自分でもそんな生活を嫌っている部分もありました。自由がないと思っていましたね。その数カ月間はかなり緊張した状態で、ストレスも溜まっていたので、家族との関係にも影響がありました。

役が終わっても、なかなかそんな習慣を断ち切れませんでしたね。元に戻すのに何カ月もかかりましたよ。

自律心の最適な使い方：黄金律

自律心のモットー

自分の感情や行動を管理し、自分をコントロールします

想像してみよう

自分が自律心を最大限に発揮している姿を想像してみてください。バランスを取って生活できる状態になっています。自分の感情、運動習慣、食習慣、注意力のレベル（集中したり自分の注意力を向上させたりする能力）といったものをきちんと自己管理できています。

すべての状況で自己管理を徹底するのは無理ですが、人生の現時点でどうやったら最適な自己管理ができるのか考えてみましょう。

自己管理の行き届いたバランスの取れた食事、運動、感情表現、集中力とは一体何なのか？　時間をかけて、このひとつひとつをイメージし、健康的でバランスの取れた自己管理の方法を感覚的に理解できるようになりましょう。

自分が自律心を発揮するときに一番支えになっている性格の強みをメモしておくのも面白いでしょう。

熱意を発揮してエネルギーを維持していくこと？　希望の強みを生かして、将来自律心をうまく使えるようにする方法をイメージしていくこと？　思慮深さと忍耐力を使って、目標の計画を立てて、障害を乗り越えながら行動していけるようにすること？　どんな強みでしょうか。

VIA・6つの美徳

超越性の美徳

広大な宇宙と繋がり、意味を与えてくれるのに役立つ強み

最後の強みのグループは「超越性の美徳」に関連するものです。「勇気」と「節制」がそれぞれ行動と抑制という対照的なもの、「人間性」と「正義」がそれぞれ個人と集団という対照的なものに結びついているように、超越性は「知恵」と対照的なものと考えられています。知恵とは、得た知識を人や自分のために使って、良い行いをすることに関係しています。一方の超越性の強みは、完全には知り得ないものや分かり得ないものの存在と関連しています。自分の知識の限界を認識し、その認識を活かして良い行いをすることに通じています。

こう書くと少し抽象的に聞こえますが、実際に超越性は何より抽象的な美徳です。人間性と正義と比較してみると、超越性が理解しやすくなるかもしれません。人間性と正義の場合、自分から人に注意を向けていきます。しかし超越性の場合には、自分を超越して、自然界や未来、非物質的な世界に意識を向けていきます。超越性に関連する強みを発揮することで、自分を日常生活から切り離して、もっと大きな考え方を捉えていけるのです。超越性の解釈は、人によって捉え方は違ってきますが、神という概念と結び付けられることが多くなっています。超越性に含まれる強みは、**「審美眼」「感謝」「希望」「ユーモア」「スピリチュアリティ」**です。

VIA・24の性格の強み

審美眼 ―APPRECIATION OF BEAUTY AND EXCELLENCE―

審美眼について知っておくべきこと WHAT WHY HOW

この性格の強みの核心になっている能力があります。**見落としがちな状況や環境、人の中に特別なものを見出し、そこに楽しみや感動を覚えることのできる能力です。**審美眼は、日常生活の中で、美しさや独自性、美徳、スキル、非凡なものを見つけ、真価を認めることに関係しています。審美眼を十分に発揮すると、自然、芸術、数学、科学、人間関係といったような、様々な分野で現れるようになります。

もっと具体的に言うと、この性格の強みが出やすい状況が少なくとも3つあります。それぞれが全く違うものになっています。

夕暮れ時や、穏やかな湖の上で揺らめく光など、**「自然の美しさを鑑賞すること」**。このような体験から、畏敬の念や驚きの感情が生まれる傾向があります。

オリンピック選手の見事なパフォーマンスや、非の打ちどころのない家具を生み出す木工職人の技といったような**「技術や才能などの卓越した点を認めること」**。このような景観から賞賛の感情が生まれる傾向があります。

寛容さや親切心、公平さ、思いやりのような、**「人の中にある美徳や善良さに感動すること」**。

このような経験から、高揚感が生まれ、人に優しく親切に振る舞いたくなる傾向があります。

木の葉を1枚見たり、外に一瞬目をやったり、唇が動いて笑顔になるのを見たりするといったような、日常の何気ない瞬間を美しいと思えると、美を評価していることになります。

建築物に見惚れたり、名著に浸っていたりすると、卓越性を評価していることになります。

このように審美眼があると、見逃してしまいがちなものの中に美が存在していることがわかり、身の回りにあるものをかけがえのないものと思えるようになるのです。

審美眼を十分に発揮すると、自然、芸術、文学、科学、スポーツ、音楽、映画、並外れた能力や道徳的な行為といったものが、ただ楽しむためのものではなく、人間としての経験を深めてくれるものだということもわかってきます。その結果、自分を磨いて、人に親切にしたいと思うようになる傾向があります。

審美眼が大切な理由　WHAT WHY HOW

審美眼という強みの研究成果には、以下のようなものがあります。

・審美眼があると、感情的な問題などの困難に立ち向かっていくのに役立ちます。何かを失ったり、苦しみを味わった人は、美を評価する能力が高まることが多いです。

・この強みが発揮されると、畏敬の念、感銘、高揚感などのポジティブな感情がすぐに生まれてきます。このようなポジティブな感情によって、幸福感が生まれてきます。

・最高に美しいものや素晴らしい能力を目の当たりにすると、畏敬の念と高揚感が生まれます。そうするとスピリチュアリティ、人生の意味、人間として磨きをかけたいという気持ちが高まります。

・審美眼は様々な健康的な行動と関連しています。

・審美眼を高めることに焦点を当てたエクササイズに取り組むと、少なくとも短期的には、幸福感が高まって、憂鬱感が弱まることがわかっています。

審美眼を強化する方法 WHAT WHY HOW

振り返ろう

審美眼という強みについて振り返りながら、以下の質問に答えてみましょう。

・誰と、どこで、何をしていると、審美眼が一番発揮されますか？

・審美眼が、どのように仕事や人間関係、余暇の使い方、コミュニティへの関わり方に影響を与えていますか？

・どうやって審美眼を育んできましたか？

・審美眼の中で、卓越性を評価する部分と美を評価する部分の比率はどうなっていますか？

・審美眼のおかげで、ポジティブな気持ちやネガティブな気持ちで胸がいっぱいになったことはありますか？　例えば、人への畏敬の念や称賛の気持ちで胸がいっぱいになったり、高すぎる卓越性の評価基準を満たせずに苦悩したりすることはありますか？
・どうやったら生活の中で人の良さや徳のある行動にもっと注目して、より道徳的な美を見出していけるでしょうか？

強み探し

40歳のインテリアデザイナー、バイ・Rさんの例を見てみましょう。

どうやって五感が働いて情報が脳に伝わっていくのか、詳しいことはわかりませんが、私の場合にはまず視覚で捉えています。物心ついたときからずっとそうです。子どもの頃は、宝物が描かれた絵本が大好きでした。「キラキラしていて美味しそう、なんだかキャンディみたいだな」と思っていましたね。そんな絵を見ていると、ワクワクして嬉しくてたまりませんでした。

私にとって大事なのは、感情と、そこから生まれる喜びです。情報はどうやって自分の中に入って、処理されるのか。それが審美眼に関係しているのは間違いないと思います。美しいもの、視覚に訴えてくるものは、食べ物のように自分の栄養になってくれます。周りの人たちはそうではないとわかると驚いてしまいます。目の前のものに対して盲目なのかと思ってしまうくらいです。美しいものを思わず指摘したくなりますが、相手の反応にがっかりしてしまうこともありますね。

私の美への興味はかなり深いものがあると思います。美しいものを創って、醜いものを無くしていきたいという強い思いがあります。例えば、プラスチックのランプを美しいものに置き換えれば、仕事がはかどるようになって、一緒に働いている人たちにも還元されていくと思います。必ずしも人のためにやっているわけではありませんが、自分だけでなく、みんなにとっても、ポジティブな力になると思っています。

行動しよう

人間関係

・審美眼を、親密な人の中から1人選んで共有してみましょう。一緒に音楽を聞いたり、意味深い映画を見たりして、ポジティブな感情を共有しましょう。
・身の回りの人が良い行動をしているのを見て刺激を受けたら、毎週記録をつけましょう。

仕事

・忍耐力や自律心といったように、発揮することで仕事がうまくいく強みは色々あります。しかし、あなたが良い仕事をする理由が、美しく仕上げることを大切にしたい気持ちがいい仕事に繋がっているのであれば、その成功には審美眼が役立っています。素晴らしいアイデアや美しい解決策に注目することで、この強みを発揮してみましょう。

・仕事の休憩時間に、机から離れて外を散歩したり、窓の外を眺めたりして、目に入ってくる美を味わってみましょう。それで元気になって仕事を頑張れるようになるかどうかみてみましょう。

・美しさにこだわって職場の環境を整えましょう。定期的に模様替えしましょう。

・人の素晴らしいところを探しましょう。職場では率先して人の強みを認めましょう。

コミュニティ

・毎日、自分の地域の自然の美しさを少なくとも1つ見つけ、観察する時間を設けてみましょう。

・時間をかけて、近所や街の人たちの並外れた努力や技術を見つけるようにしましょう。そのような人たちが達成してきたことに驚きを見出したり、そのポジティブな部分を地域住民と共有したり、自分自身のポジティブな気持ちを本人に直接伝えたりしましょう。

自分自身

・立ち止まって、自分の内面にある美しさを評価しましょう。自分の性格の強みを理解し、それをどうやって人のために使ったか思い出してみると良いでしょう。

バランスを取ろう

審美眼が発揮できていない場合

日課やストレスに追い回されていると、今この瞬間に起きていることを見失いがちになります。自然体験でも、スポーツの感動的なプレーでも、人の親切な行為でも、今という瞬間こそが、審美眼を発揮するべきところです。

仕事、長期的な人間関係、慣れ親しんだ環境、自分自身といったような何気ない日常生活の中にも、美しいものは存在しています。しかし審美眼に優れていても、状況によっては使いこなせなくなってしまって、美しいものを見逃してしまうことがあるのです。

審美眼の出し過ぎ

審美眼が過剰になると、完璧主義に陥ったり、人を見下すような態度を取ってしまったり、美意識の低い人に寛容になれなかったりすることがあります。

人が自然の美を損いかねないことをしたり軽視したりすると、極端な態度を取ってしまうことがあります。状況によっては批判的になり過ぎてしまったり、要求が厳しくなってしまって、人に悪影響を及ぼしてしまうことがあるのです。

足ることを知らずに完璧を追い求めてしまうがあまり、自分の成果を評価できなくなってしまう人もいます。

30歳の地質学者のブレイディ・Lさんの例を見てみましょう。

家族にとって、私の美へのこだわりが悩みの種になってしまっているのは間違いないと思います。自分の美の理想ははっきりしています。

父が買ってきた椅子が、実家のリビングのインテリアに合わないことがありました。父が狂いそうになりましたよ。父には自分の気持ちを伝えたのですが、そんな私の姿が両親には面白くて仕方がなかったようです。私は我慢できなかったので、自分好みの椅子を入手して、父が買った椅子を慈善団体に寄付してしまいました。

私の椅子を見た父は、微笑んで、「こっちの方が見た目はいいけど、座り心地はどうなんだ?」と言ってきました。座り心地は良かったですよ。父に全くセンスがないとは言いませんが、そこまで美へのこだわりはありません。でも今の私は、美しいものでないと納得がいかないのです。それで周りに迷惑をかけてしまうことがあるのは、自分でもわかってはいるのですが。

たまにセンスが絶妙な人に感心し過ぎてしまうこともありますね。センスがあるからといって、素敵な人だとは限りません。

素晴らしく美意識が高いだけの人と付き合ったこともありますが、人間関係は最悪でしたね。歳を重ねるにつれて、見た目よりも大事なことがあるとわかりました。今の交際相手はセンスも抜群なのですが、何より思いやりがあって、私に首ったけです。その方がファッションセンスよりも大事だと気づくのに、ずいぶん時間がかかってしまいました。

審美眼の最適な使い方：黄金律

審美眼のモットー

身の周りにある美しさと人のスキルを認識し、感情的に体験し、感謝します

想像してみよう

大好きな料理の一口目を頬張る姿を想像してみましょう。秋の葉の色が鮮やかに変化していく様子を想像してみましょう。友人が別の友人を許す姿に注目してみましょう。コー

トを舞うように華麗な技を披露しているプロテニス選手を観察してみましょう。

このような体験を1つ1つ味わい、感謝の気持ちを持ちながら、湧き上がってくる感情を味わってみましょう。

シンプルなランチの一口目を頬張る姿を想像して、口いっぱいに広がる味と香りを堪能します。木の枝や根、花、葉を観察して、溢れんばかりの命を感じます。誰かが大義を支援するために寄付をするのを見て好感を覚えます。野球少年少女が次第に腕前を上げていく姿に、卓越性を見出します。

注目すれば、自分の身の周りの美や卓越性、善良さを味わえる瞬間が毎日の生活の中に溢れているのです。

VIA・24の性格の強み
感謝 ―GRATITUDE―

感謝について知っておくべきこと WHAT WHY HOW

感謝という性格の強みは、生活の中で深い感謝の気持ちを感じ、表現していくことです。もっと具体的に言うと、純粋に人に感謝の気持ちを表現する時間を取るようにすることです。

贈り物や思いやりのある行動に対して、感謝の気持ちが生まれてくることがあります。人が自分の人生に貢献してくれていると認識して、感謝の気持ちが生まれてくること、子どもが作ってくれた図画工作のような人の頑張りに感謝すること、暑い日に顔に吹く涼風のような自然の恵みに感謝することもあります。

感謝というのは、人や出来事から、大切な贈り物を授かったという超越的な感覚です。感謝の気持ちのある人は、様々なポジティブな感情を経験します。そのような感情によって、より謙虚に、忍耐強く、親切に、といった道徳的に行動したいという気持ちが高まっていきます。

感謝の気持ちが、親切心や愛情という性格の強みを育てる傾向があり、共感や他者との繋がりを強めます。

感謝には主に3つの要素があります。

1. 人や物に対する温かい感謝の気持ち
2. その人や物に対する善良な心
3. そのような感謝の気持ちや善良な心から生まれる積極的に行動しようという気持ちを持つことで、積極的に色々体験してみようという気持ちが強まります。

感謝の気持ちを十分に発揮すると、人生のポジティブな事柄に感謝し、直接かつ頻繁に人に感謝の気持ちを伝えるようになります。自分がどれだけ恵まれているか常に考えて、自分の人生をポジティブに振り返ります。感謝の気持ちを持つことで、「親切心」「好奇心」「希望」「スピリチュアリティ」「熱意」などの性格の強みを活かせるようになります。

感謝が大切な理由 WHAT WHY HOW

感謝という強みがもたらす恩恵についての研究成果には、次のようなものがあります。

- 感謝は意味を感じられる人生との結びつきが非常に強いものです。
- 感謝の気持ちで、循環器系や免疫系の機能が高まり、心身の健康に良い影響があります。
- 感謝は人生の満足感と幸福感との関連が強い5つの性格の強みの1つです。
- 感謝の気持ちのある人は、きちんと運動をして、気分が良くなり、しっかり眠れるようになります。鬱になりにくく、人を助けることを目的とした幅広い行動をする可能性が高まります。

・感謝の気持ちの高い人は、目標を達成し、楽観的になり、自分の仕事を楽しみ、天職だと思える可能性が高まります。学生の場合には、成績が上がる傾向があります。

・感謝の気持ちには、生命との繋がりを感じたり、人に対する責任を感じたり、物質主義的な傾向が減ったりするといったような、精神面でのメリットもあります。

・感謝のエクササイズをすることで、心身が幸福になり、鬱の抑制に成功している例が多く報告されています。

感謝の気持ちを強化する方法　WHAT | WHY | HOW

振り返ろう

感謝の強みについて振り返りながら、以下の質問に答えてみましょう。

・どんな状況にいると感謝の気持ちが特に強くなりますか？　どんな状況にいると感謝の気持ちを一番表現できますか？

・感謝の気持ちを伝える最大の喜びは何ですか？　人によってより喜びを感じられたりしますか？

・家族や友人、同僚、恩師、地域住民といったような人の中に、見落としていたり、恥ずかしがっていたりして、自分の感謝の気持ちをきちんと伝えられていない人はいますか？いる場合、それはなぜですか？

・特定の人に感謝の気持ちを伝える上で、心配なことはありますか？
・感謝してもらえないと、自分も相手に感謝したくなくなりますか？
・自分が感謝を表現すると人にどんな影響がありますか？
・建前ではなく本音で相手に感謝している割合はどのくらいですか？

強み探し

48歳の図書館司書、ガブリエラ・Gさんの例を見てみましょう。

私は意識して感謝の気持ちを持つようにしました。2歳と6歳の子どもを抱え、離婚の真っ只中にいた私は、フルタイムの仕事と持ち家に振り回されながら、何か支えになってくれるものを必死に探し求めていたのです。

ある日、車で帰宅中に角を曲がると、壮大な夕日が目に飛び込んできたのです。「あぁ！」私は息を呑みました。その日で何より素晴らしい瞬間でした。心が高鳴って、「これこそが私に必要なものだ。もっとこの感覚が必要だ」と思って、「どうやったらもっとそんな感覚が味わえるんだろう？」と考えました。それが感謝の気持ちだということがわかったのです。

どんなに酷いことがあっても、人生には大切にして感謝する価値のあるものが溢れている。それに気づいて、肩の荷が軽くなったのです。


交際相手の彼が家に帰ってきて、もっとひどい目に合っている人の話をしてくると、自分の状況が有難く思えてきます。そんなふうにゲーム感覚で感謝することもあります。

自分のことで泥沼にはまってしまった場合には、感謝するべきものを見つけてそこから抜け出していくことはエクササイズになります。私にとって感謝は、1つの明確なスキルです。感謝すると決めたら運動みたいにとことんやる。人生の隅々まで目を配って、感謝するべきものを見つけていくということなのです。

「感謝することなんて何もない」と思ってしまうときこそ、感謝が本領を発揮してくれるのです。

行動しよう

人間関係

・親しい人のちょっとした特徴や行動で、自分が感謝しているものを指摘してみましょう。

自分以外の人があまり注目していないものに注目して、それを本人に伝えましょう。

・1日の終わりに、人間関係で起こった良いことを1つ書き出してみましょう。些細なことでも構いません。それが起こった理由も書き加えましょう。

職場

・仕事で得られたチャンスに感謝する気持ちを人に伝えましょう。同僚の人柄や仕事に感謝しましょう。自分の感謝の気持ちを付箋に書いて、本人の机にサプライズで貼ったり、自発的にメールで送ったりしましょう。

・なかなか周りに認めてもらえない人が職場にいたら、感謝の気持ちを伝えてみましょう。なぜ感謝しているのか、相手の行動で自分にどんな影響があったのか数行にまとめて本人に渡してみましょう。

・職場であった良いことを3つ書き出して、それが起こった理由を考えてみましょう。

コミュニティ

・以前自分のことを助けてくれたり、地域社会に貢献してくれたりしたことのある人にメモを書いて、車や玄関に貼って、感謝の気持ちを伝えてみましょう。

・バスの運転手、店員、ウェイターのような長年地域に貢献してくれている人たちに感謝の気持ちを伝えましょう。

自分自身

・特に注目してこなかった自分の些細な一面に意識を向けて、それに感謝してみましょう。

バランスを取ろう

感謝が発揮できていない場合

人生で良いことが起こってても、それに無頓着になってしまったり、注意が向かなくなってしまったりすると、感謝の気持ちが湧かないことがあります。

例えば心に深い傷を負った人の中には、微かに希望を与えてくれるようなものがあっても、人の良い行いに対しても、意識的にも無意識的にも注意を向けなくなってしまうことがあります。それほど極端でないにしても、自分のことで一杯になってしまって、感謝すべき人がすぐ側にいたり、感謝すべきことが目の前にあったりするのに、見逃してしまうこともあります。感謝の気持ちがあっても、社会的なスキルがなくて、感謝の気持ちを伝えられないことも感謝が発揮できていないといえます。

人生には、健康、人間関係、大小様々な成功といったような感謝すべきことが溢れています。

しかし、それを見逃してしまって、感謝の強みが発揮できていないことがよくあります。特に、親や子ども、兄弟、伴侶など、身近な人たちを当たり前の存在だと思ってしまいがちです。**感謝されるに値する人に感謝の気持ちを抱き、その気持ちを表現していくこと**が、性格の強みとしての感謝を考えた時に重要なのです。

感謝のし過ぎ

感謝し過ぎてしまうと、相手から、わざとらしい、しつこい、うっとうしいと思われてしまうことがあります。特に、相手が感謝を求めていなかったり、特別なことをしたとは思っていない場合には、不快な思いをさせてしまいかねません。誠実さを疑われてしまうことさえあります。しかし、人間関係では、感謝を表し過ぎてしまうことは、深刻な問題にはならず、些細な迷惑程度で済むことの方が多いのです。

人生で得たものに感謝し過ぎてしまうと、成長の邪魔になってしまうことがあります。人や状況の良いこと、感謝することに注目し過ぎてしまうと、短所を俯瞰できなくなったり、もっと良い人間関係や仕事環境を追求できなくなったりしてしまうことがあるのです。

26歳のマーケティング担当役員、ニコル・Wさんの例を見ていきましょう。

私はかなり若いときに離婚し、すぐに別の男性と付き合いました。もともと感謝の気持ちは私の強みだったので、新しい関係でも自然とその強みを活かすことができました。寂しい気持ちや仕事の悔しさを紛らわすことができて、有難いなと思っていましたね。

相手が何かしてくれると、どんな些細なことでも、感謝の気持ちを爆発させていました。一緒にいてくれるだけで、感謝の気持ちが湧いてきたのです。感謝の気持ちで目が眩んでしまっていた私でしたが、時間が経つにつれて、相手が自分にほとんど何もしてくれていないことがわかってきました。彼は感情的に支えてくれる人ではなく、私が自分の人生を立て直そうと頑張っていても、あまり我慢強く支えてくれなかったのです。それに全部気づくのに時間がかかってしまいました。

ようやく彼とは合わないことに気づきましたが、その経験のおかげで、感謝にはバランスが必要だとわかりました。現実を直視して、自分自身を気遣うことが大切だとわかったのです。感謝してはいても、現実から目を逸らさずに、相手には重大な限界を感じることを見極めないといけませんでしたね。

その人と別れた後、遥かに思いやりのある男性に出会いました。今は、相手に感謝しているだけでなく、理想の男性が見つかったという確信があります。

感謝の最適な使い方：黄金律

感謝のモットー

多くのことに感謝し、その気持ちを周りの人に伝えます

想像してみよう

毎日の生活で、感謝することを最低3つは見つけましょう。その感謝の気持ちを、最低1日1回は人や自然、神、生物に言葉にして伝えている姿を想像してみましょう。

感謝の気持ちに気づくたびに、時間をかけて、なぜ感謝しているのか、その気持ちがどこから生じたのか、自分の中でどのように感じられているのかを理解するようにします。毎日、同じことに感謝するだけでなく、新たに3つ付け足していきます。これを1年間毎日続けると、感謝すべきものが千以上も増え、何百回も感謝の気持ちを伝えることになるのです。感謝の強みを飛躍的に高めるのになんて効果的なんでしょう！

VIA・24の性格の強み

希望 ―HOPE―

希望について知っておくべきこと WHAT WHY HOW

希望という性格の強みは、将来良いことがあるというポジティブな期待に関係しています。楽観的に考えて、将来起こる良いことに焦点を当てていきます。希望を持つということは、ただ気分が良くなるだけでなく、実際に行動に繋がっていきます。

「目標は達成できる」「効果的な方法をたくさん考え出して、理想の未来に到達できる」、そんな動機と自信が湧いてきます。

希望と楽観主義は、幸福度と健康に大きなプラスの影響をもたらしてくれます。希望は、将来の成果や人間関係（現在の人間関係の未来や新しい人間関係の発展）、地域社会全体や世界的な関心事に向けられます。

希望という名の船は、現状理解という名の錨《いかり》を下ろしてはいますが、これから未来に向かって出航していくものです。他の人がネガティブな部分に注目していたり、状況を悲観的に捉えていたり、関心を持っていなかったりする場合でも、希望の高い人は、違う見方ができるのです。

希望は、幸福度につながる他の性格の強みと、密接な関係があります。特に、「希望」と「熱意」

の関係は、どんな強みの組み合わせよりも密接なものになっています。熱意は「現在」に対して楽観的になることですが、希望は「未来」に対して楽観的になることです。希望は、感謝や愛とも繋がっています。このような強みに備わっている温かさや感謝の気持ち、エネルギーは、人から特に賞賛されるものです。

希望を十分に発揮していると、未来について前向きな態度を維持し、バランスの取れた楽観的な見方をすることでモチベーションを高め、前進しながら人を支えていきます。

希望が大切な理由 WHAT WHY HOW

希望という強みの研究成果には、以下のようなものがあります。

・希望は、人生の満足感と幸福度との関係が最も強い2つの強みのうちの1つです。
・幸福度の様々な要素と強く結びついています。例えば、喜びや活動への積極的な関与、生きる意義、ポジティブで健全な人間関係といったようなものです。
・希望を持っている人は、不安になったり落ち込んだりしにくい傾向があります。不安を感じて落ち込むようなことがあっても、ネガティブな感情に圧倒されにくいのです。
・希望に満ちた人は、特に困難に直面すると、粘り強く立ち向かっていきます。レジリエンス（適応能力）が人一倍強いのです。
・希望を持って楽観的になると、積極的に問題解決に取り組みやすくなります。希望があると、良心、勤勉、欲求充足を遅らせる能力に繋がってきます。

・希望に溢れている人は、健康で、幸福で、成功する傾向があります。希望があると寿命が延びます。

・本番前の不安が減り、学校の成績が上がりやすくなります。

・失敗してもポジティブな気持ちを保ちやすくなります。

希望を強化する方法 WHAT WHY HOW

振り返ろう

希望という強みについて振り返りながら、以下の質問に答えてみましょう。

・人生でどんな状態にいると希望が溢れてきましたか？

・逆に人生でどんな状態にいると希望が持てなくなりますか？

・人生で苦境に立たされたとき、希望がどんな役割を果たしますか？　そんなときはどうやったら希望を表現できますか？

・失望感や挫折感は、どの程度希望に悪影響を及ぼしますか？

・希望を持ったり楽観的になったりする場合、どうやって現実的なものと非現実的なもののバランスを取っていますか？

希望

・希望を持つことにはどんなリスクがありますか？

強み探し

27歳の介護福祉士、ヴィクトリア・Lさんの例を見てみましょう。

子どもの頃、祖国では内戦があり、銃声がひっきりなしに鳴り響いていました。家族は全員無事だったのですが、周りには貧困や飢餓、恐怖が溢れていました。10歳か11歳の頃になると、生き延びようと必死にもがいている人が大半で、生活の苦しさに打ち負かされてしまっているような人が多いことに気づきました。

その中でも「状況は良くなる。明るい未来になるように行動していける」という希望を持ち続けている人もいました。そういう人たちが一番頑張っているように見えましたね。周りで何があっても、輝いていたのです。

私はそんな人になりたいと心に決めました。もっと人生を良いものにしていけるという希望がモチベーションになって、行動を起こして、この米国にやって来られたのです。大学の学費を稼ぐために、できる仕事を始めました。今はフルタイムで働きながら勉強しています。諦めてしまって、何もしないでただ誰かが救いの手を差し伸べてくれるのを待つようなことはせずに、「私にはできる。自分で良い人生を切り開いていける」と考えて自分で行動を起こしました。そんなふうに希望を持ったおかげで、私はやってこられたのです。

行動しよう

人間関係

・交際相手や伴侶と一緒にやってうまくいったことを3つ書き出して、それをどう活かしたら2人の関係をより良くできるか考えてみましょう。

・親密な関係で最高の自分になった姿を想像して、書き出してみましょう。性格の強みを使って最高の自分が実現している姿を想像してみましょう。

・親しい人が悲観的になっていたら、希望の強みを使って、相手に「明るい」意見や考えをプレゼントしてみましょう。具体的で現実的な希望を伝えるようにし、そして相手がどんな行動を取れるのか一緒に考えてあげてください。

職場

・障害を乗り越えて良い結果に繋げていく方法を思い描いて、そのポジティブな可能性を人と共有できるなら、希望の強みを発揮できています。希望の強みを活かして、長期的に自分や同僚、組織の利益になるような仕事に取り組んでみましょう。今日の自分の仕事が将来どんな貢献になるのか考えてみましょう。

・その日に達成したい作業の目標を設定しましょう。どんな目標でも、達成するための方法を最低3つ考えましょう。

コミュニティ

・希望のメッセージを伝える映画をテーマにして、地域のイベントを企画しましょう。例えば、「ショーシャンクの空に」「幸せのちから」「ペイ・フォワード　可能の王国」のような映画を題材にしてみましょう。映画のメッセージがどんなふうに地域の問題に当てはまり、改善に役立つか話し合いましょう。

自分自身

・自分が抱えている問題について考えてみましょう。心を落ち着かせてくれる楽観的な考えを2つ書き出してみましょう。小さな一歩を踏み出すために取れる行動を2つ加えてみましょう。

バランスを取ろう

希望が見出せない時

明るい面を見ようとすることを拒んだり、良いことをないがしろにしたり、過去の問題や現在の葛藤にとらわれたままでいたりすると、希望という強みを使いこなせていない可能性があります。そうは言っても、希望は恐らく常に困難や障害を認識することと隣り合わせなのです。希望とは困難なときに生まれるものです。ただ信じたり願ったりするのが希望ではありません。希望とは行動していくことなのです。

希望を持って描いた明るい未来予想図が実現せずに、燃え尽きてしまうようなことが多過ぎると、ただ失望するだけではなく、希望を持ってしまったことに激しい怒りを感じてしまうことさえあります。「希望がなければ失望することもない」という人もいるかもしれません。しかし、それでは、未来の可能性について悲観的なままになってしまいます。

もっとわかりにくい例は「子どもが失望したり失敗したりしないように守ってあげたい」という思いで、子どもへの期待をあまり口にしない親です。そんな場合には、希望という強みを、大局観や自律心と組み合わせて使いましょう。

何かの計画に対して、楽観的になれる理由が何1つ見つからず、希望など持てないと思ってしまうこともあります。子どもが、必死になって勉強していたり、友人から有益なアドバイスをもらったりしているのに、気づかない親がいます。部下が目につかないところで残業していたり、仕事を終わらせていたりするのに、気づかない上司もいます。そんなふうに楽観的になれる要素があっても、それに気づかずに、中途半端な結果や最悪の結果を想定してしまうと、希望という強みが使いこなせなくなってしまいます。

希望の出し過ぎ

希望の強みは、性格の強みの中で一番ポジティブな感情を生み出してくれる強みですが、ある程度バランスを取らないと、使い過ぎてしまいます。希望に溢れ過ぎてしまうと、非現実的になってしまい、底無しの楽天家ポリアンナのようになってしまいかねません。『少女ポリアンナ』は、何があっても楽天的な女の子を描いた古い児童書です。その本を子どもと一緒に読んだ親は、「楽観的な考えが溢れ過ぎて現実が見えなくなっているポリアンナにイライラする」という感想を口にすることが多いのです。ネガティブな結果を全く想像したり考えたりできないと、希望が溢れ過ぎてしまっています。

希望の強みを発揮して楽観的になり過ぎてしまうと、体調管理の分野でもリスクが生じてしまいます。病が深刻だと診断されたのに、「大丈夫だろう」という希望的観測だけで対応して、対策をおろそかにしてしまうと、事態が深刻になってしまいかねません。そんなときには、将来に希望を持つことも必要ですが、病の前兆を見落とさないようにしましょう。そこで、知的柔軟性を使って状況を具体的に判断したり、熱意や自律心を使って効果的な行動を取ったりするなど、他の強みを活用するといいでしょう。

目標を多く設定し過ぎたり、ポジティブな期待をたくさん抱き過ぎたりする場合にも、希望の強みを出し過ぎてしまっています。希望に満ちた人は、自信過剰になって目標を達成できると思い込んでしまうことがあります。高望みをしてしまうと、その高い理想に圧倒されて目標を達成できなくなってしまうことがあります。こんなときは思慮深さを発揮するのが大切です。

希望を強く発揮し続けると、人にインスピレーションを与えることもあります。しかし、楽観的になり過ぎてしまうと相手に受け入れてもらえずに、不快な思いをさせてしまうこともあります。また、相手がバランスを取ろうとして、より悲観的な反応を示すこともあります。

35歳の建設現場監督のジョン・Nさんの例を見てみましょう。

私は楽観的過ぎて、周りの人たちにあきれられてしまうことがあります。「ジョン、人生には前向きにはなれないこともあるんだよ」と言われてしまうことがあるのです。それは私にも分かってはいるのですが、どんな問題でも希望の光を探さずにはいられません。そのせいで私の判断を疑う人がいるかもしれませんね。

「現実のネガティブな部分を無視して、ポジティブなことばかり考えている」と思われてしまうようです。ただ前向きになるのではなくて、きちんとバランスを取るように努力してはいますよ。仕事が相当きついこともありますが、私が歩みを止めることはありません。

私が希望を持つことで、同僚たちが元気になって、長時間労働に耐えやすくなることもありますが、困らせてしまうこともありますね。12時間のシフトが終わって、一緒に飲むときが、一番イライラするようです。

私の希望のおかげでみんな乗り切れたようなものですが、「仕事が終わったら何もポジティブなことは聞きたくない、仕事の愚痴を言いたいだけなんだ」という気持ちになってしまうようです。それで構いません。私にもその気持ちはわかります。

希望の最適な使い方：黄金律

希望のモットー

現実的であると同時に、将来について前向きな考えに満ちていて、自分の行動を信じ、物事がうまくいくと信じています

想像してみよう

今日から1年後の自分の姿を想像してみましょう。

幸福で、自信に満ち溢れ、人と繋がっている姿を想像してみましょう。人間関係や仕事で最高の状態にある姿を想像するようにします。最高の状態になったらどんな気持ちになるのか、細かい部分まで注目します。今日の気持ちとは別物になっているかもしれません し、自己成長の精神に磨きがかかっているかもしれません。

「1年後にはそのレベルに到達できる」という希望を今感じてみましょう。1年かけてその目標に到達するための道筋になってくれる他の性格の強みについて考えてみましょう。

希望の強みを使うと、他の強みが強まり、最高の自分という目標に到達できることがわかってきます。目標に向かって進んでいく中で、目標への熱意、障害を乗り越えるための忍耐力、全体像を見失わないための大局観、心の強みである感謝と愛情といったような強みが、希望の強みを発揮することでどうやって高まっていくのか、注目しましょう。

VIA・24の性格の強み

ユーモア ―HUMOR―

ユーモアについて知っておくべきこと WHAT WHY HOW

ユーモアとは、様々な状況の中で面白いものを見つけ出し、相手に明るい面を示していくことです。ユーモアは、社会交流の大事な潤滑油となり、チームをまとめて、一丸となって目標に向かって行く力になってくれます。

目標を達成したり、問題を解決したりするのに他の強みが必要不可欠な場合でも、ユーモアがないとポジティブな社会的交流ができなくなるということはほとんどありません。しかしユーモアがプラスになってくれることが多いのです。苦しい状況に対処していくのにも役立ってくれます。

遊び心がユーモアの基本です。ユーモアとは、理不尽なものを見極めて、生真面目さを弱めていくということです。場を和ませられるような本当にユーモラスな人でいるには、自分をネタにできないといけません。困難な状況でも、ユーモアを使って雰囲気を明るくすることで、大きく貢献することができます。人生の矛盾に注目し、絶望に直面しても陽気なままでいて、社会的な絆を育むことで、より世の力になっていけるのです。

特筆すべきは、ユーモアのセンスが失われてしまうと、ありとあらゆる感情的な問題に影響が及んでしまうということです。ユーモアのセンスは、様々なストレスや問題から守ってくれるだけでなく、良好な精神衛生面でも大事な役割を担っている可能性があるのです。

ユーモアは、**「付加価値の強み」**と呼ばれています。他の強みと組み合わさると道徳的に良いものになるからです。例えば、舞台でジョークを飛ばしているだけのコメディアンが道徳的に評価される可能性は低いのですが、ユーモアを使って小児癌の患者や独り身の高齢者の負担を軽減するような場合には、道徳的に評価される強みになってくれます。

ユーモアのセンスに溢れている人は、肩の力が抜けていて、優しくからかったり、遊び心のあるコメントをしたり、冗談を言ったり、面白い話をしたりして、安心させてくれます。他の人からは深刻な状況を打破したり、重い空気を明るくしたり、問題を俯瞰して事の重要性を相対的に捉えるきっかけになってくれるという期待を受けています。パーティーの盛り上げ役と見なされることもありますが、独演会にならないように、相手にも気持ちや考えを言葉にしてもらうようにしています。ユーモアは、建設的なフィードバックを飲み込みやすくしてくれる「オブラート」の役割を果たして、コミュニケーションの大事なツールになってくれます。あなたもきっとユーモアは伝染することに気づいていると思います。笑いや愉快さは、社会的に適切な場合、その場の雰囲気を明るくします。

ユーモアの強みを十分に発揮していると、ポジティブな状況、ネガティブな状況、つまらない状況であっても、その中に明るい面を見出します。状況に応じた方法で、ふざけてみたり、皮肉を言ったり、機知に富んだ話をしたりして、その明るさを人と共有していけます。

ユーモアが大切な理由　WHAT｜WHY｜HOW

ユーモアの強みがもたらす効果に関する研究成果には、以下のようなものがあります。

・ユーモアのセンスがある人は社会的に魅力があります。
・ユーモアは、日常生活のストレスや困難を和らげてくれます。
・ユーモアのセンスがある人は健康的である傾向があります。笑いには、例えば、血中酸素量が増えたりするといったような生理学的な利点が、たくさんあります。
・ユーモアで人生の喜びやポジティブな感情が高まり、全体的な幸福度に貢献してくれます。
・ユーモアがコミュニケーションの潤滑油になって、状況を前向きに評価するのに役立ちます。
・人に対する不安が減って、社会的な絆が生まれる機会になります。

ユーモアを強化する方法　WHAT｜WHY｜HOW

振り返ろう

ユーモアという強みについて振り返りながら、以下の質問に答えてみましょう。

・どうやって遊び心に火を点けていますか？　それは状況によってどう変化しますか？

・周りの人はどうやって遊び心を発揮していますか？　人の遊び心からどんなことが学べますか？

・ユーモアにはタイミングが重要です。ユーモアが大切なタイミングとユーモアを発揮してはいけないタイミングを見極めることです。うまく見極められなかったときは、なぜそうなったのでしょうか？

・どんな経験をしたり、どんな状況にいたりすると、ユーモラスな反応をしたくなりますか？

・日々の様々な活動の中で、どうやったらユーモアの意識を育むことができますか？

・誰といると一番笑えますか？　その笑いで2人の関係はどんな形になりますか？

・どんな状況にいると、ユーモアが障害になって人との絆が育みにくくなりますか？

強み探し

23歳のエンジニア、ケルビン・Aさんの例を見てみましょう。

子どもの頃は人見知りでした。昔からユーモアのおかげで、うまく人付き合いができていると思います。電話面接を何度も受けたことがありますが、ユーモアのおかげで、社交的な人間だと思ってもらえましたね。また、初対面の人や遠い親戚、就職希望先の人ともコミュニケーションが取りやすくなります。大学院出願のときも、ユーモアのセンスを発揮して、居合わせた人たちと話ができて、繋がりが持てました。面白くて社交的な人だと思ってもらえましたね。

その後に大学で出会った人にもユーモアを使っています。女性と出会いがあったのもユーモアのおかげです。人見知りのままだったら、初デートなんて夢のまた夢だったでしょうから。

また、色々ジョークを思いつけるのも自慢です。その場に合った皮肉を咄嗟に言えるのです。不意を突かれた人が、腹から笑ってくれると嬉しくなってしまいます。本領発揮の瞬間ですね。

ユーモアは知性の一種だと思っています。笑いで感動させてくれる人は特別な人だと思います。冗談を言おうと頑張るだけでも尊敬してしまいますね。私がひどいジョークを飛ばしてしまっても、母は「よくそんなことがすぐに思いつくわね」と言ってくれます。真面目な話ばかりしているよりも、面白いところを見つけようとした方がいい。そういうことなのだと思います。

行動しよう

人間関係

・ユーモアを大切にしている友人や家族と一緒にホームコメディや面白い映画を見ましょう。

・周りの人に、即興で面白いことをしてみましょう。くだらないことを言ったり、変な動きをしたり、愉快な話やジョークを言ったりしましょう。

・人間関係で難しい状況になっても、明るい面を探しましょう。難しい状況でも、楽しく愉快になれる方法を話し合いましょう。

職場

・職場で笑顔と笑いをもたらせば、ユーモアという強みを表現していることになります。笑顔や笑い声は周りの人にも広がっていきます。出勤してから退社するまで、自分の笑顔と笑い声を意識するようにしましょう。1日が終わったら、笑顔と笑い声が多過ぎたか、少な過ぎたか、ちょうどよかったか、振り返りましょう。

・面白い（でも不適切でない）YouTube動画を同僚に送ってみましょう。同僚や仕事仲間が、ストレス解消に一息つけるタイミングで送るとよいでしょう。

・職場でユーモア日記をつけましょう。どんなに些細なことでもいいので、毎日、面白い出来事を3つ、それが起こった理由を添えて書き留めておきましょう。面白いものが集まっ

ユーモア

てきたら、同僚と共有しましょう。

コミュニティ

・コミュニティで孤独そうだったり、蚊帳の外に置かれている人のことを考えてみましょう。そんな人のところに行って、笑顔と笑いを贈りましょう。

自分自身

・人生で深刻な場面に直面したら、ユーモアを自分に向けて笑ってみましょう。陽気になって充電しましょう。

バランスを取ろう

ユーモアを発揮できていない場合

真面目になり過ぎてしまうのには様々な理由があります。気分が悪くなったり、落ち込んだりしていて、ユーモアを発揮できないこともあります。面白いことを言うのは心地が悪いと思っている人もいれば、生真面目な性格の人もいます。ユーモアは苦手だと思っている人もいれば、ユーモアというレンズで状況を捉えていない人もいます。

良くも悪くもユーモアが社会的に不適切と思う人もいます。例えば、冗談は厳かな葬儀では通用しないと思うのは当然のことでも、上司との関係でも通用しないと思ってしまう場合です。ユーモアは人との距離を縮めるのに役立ちます。普段はユーモアのセンスがある人でも、相手に不信感を抱いていたり、その人と親しくなりたくないと思っている場合には、ユーモアが発揮できないことがあります。

周りに笑いのネタになるものがあっても、それになかなか気づかない人もいます。自信がなくて、ユーモアのセンスを発揮しきれない人もいます。

ユーモアの出し過ぎ

ユーモアの度が過ぎると、人を傷つけたり辱《はずかし》めたりしてしまいます。コメディアンの場合、巧妙でエッジの効いたジョークと、下品なだけでセンスがないジョークの線引きをする人が多いのです。得意のユーモアを発揮して、人との絆を育んでいこうとする人もいます。しかし空気を読まないと、無礼で思いやりのない人だと思われて、ユーモアが逆効果になってしまいます。それで、仲違いしたり、対立したり、関係が絶たれてしまったりします。これは、知り合ってからまだ日が浅い人の関係や兄弟などの関係に、よく見られるものです。注目してもらいたくて、つい好きな女子をからかってしまうような男子にも、同じことが言えます。

ユーモアは、人生の問題や深刻な難題から逃避するのに使われることもあります。難しい話題

ユーモア

になることを敏感に感じ取り、ジョークでうやむやにすることがとても得意な人もいます。それで相手との関係に悪影響を与えてしまうこともあります。

36歳の店員のアヴァ・Pさんの例を見ていきましょう。

私はジョークを飛ばすのが好きで、どんな状況でも愉快な面を見て取りたいのです。考えてみると、ユーモアが状況に合わないこともあるかもしれません。私は葬式で冗談を言ってしまうような人間です。冗談だということが相手に伝わらないと、ちょっと気まずくなってしまうかもしれません。

冗談を言ってしまって、人と絆が育めなくなったり、相手が言いたいことを私に言えなくなってしまったりすることもあるかもしれません。信頼関係が損なわれてしまうかもしれませんし、大人げないと思われてしまったり、真剣に考えて問題を解決したり問題に対処したりできない不真面目な人間だと思われてしまうかもしれません。2つが両立しないためです。

それで「ふざけたやつ」「空気が読めないやつ」だと思われてしまうこともありますが、私はしょうがないと思っています。ユーモアの一部を押し殺すことはできますが、それでは自分の大切な部分が損なわれてしまうような気がします。私にとってユーモアと笑いがどれだけ大事なのか、周りの人に伝えてわかってもらおうとすることもあります。ユーモアは必要です。それを理解するのは、本当に大切だと思います。

ユーモアの最適な使い方：黄金律

ユーモアのモットー

陽気に生きて人を笑わせます。辛いときやストレスの多いときにはユーモアを見つけます

想像してみよう

仕事場に入ったときに、同僚たちが仕事に集中していたり、話し合ったり、コーヒーを飲んだりしている姿を想像してみてください。陽気な会話をしている2人の同僚のところまで歩いていくと、2人がどんな会話をしているのかすぐに察します。2人の会話の内容に関連するユーモラスな話をしたり、面白いコメントをしたりすると、2人が大笑いします。その後、自分の机に向かって、1時間が経過すると、チームに面白いメールを書きます。

メールにはチームの人が面白いと思うビデオのリンクが貼られています。

その日の後半、同僚がプライベートで問題を抱えていて、目に見えて動揺し、ストレスを感じている姿を目の当たりにします。

最初のうちはユーモアを抑えて、相手の言葉に注意深く耳を傾けるようにします。力になると申し出たり、優しい言葉をかけたりしたら、タイミングを見て（社会的知性の強みを利用して）、自分の同じような経験談を、相手にユーモラスに語ります。ジョークが伝わって、笑顔になった同僚は、その瞬間は元気になったようです。

帰宅すると、すぐに別のタイプのユーモアの強みを発揮します。帰宅した自分の姿を見て、遊ぶ気満々の子どもたちと、ふざけまわって楽しむのです。

VIA・24の性格の強み

スピリチュアリティ ―SPIRITUALITY―

スピリチュアリティについて知っておくべきこと WHAT WHY HOW

ＶＩＡ分類の性格の強みの多くに当てはまるように、スピリチュアリティにも様々な次元があります。人生の意義や目的、使命、宇宙に関する信念、善や徳の表現、超越的なものと繋がる実践といったようなものが含まれています。

科学者は一貫してスピリチュアリティを「神聖なものの探究」や「神聖なものとの繋がり」と定義してきました。神聖なものとは、祝福されたもの、高徳なもの、崇敬されているもの、特別なものなどを指すかもしれません。

神聖なものには、世俗的なものもあれば、宗教的なものもあります。人生の目的を探究したり、偉大なものとの繋がりを強めることで、神聖なものを探究していこうとします。神聖なものは、幼い子どもの許し、上司と部下の間の謙虚な瞬間、畏敬の念を抱かせてくれる夕日、瞑想や宗教的な儀式での深い経験、見知らぬ人の自己犠牲的な優しさといったようなものの中で体験するものです。

性格の強みとしてのスピリチュアリティには、「人生には人間の理解を超えた次元がある」という信念が含まれています。この信念を神性という概念とは結びつけずに、スピリチュアリティではなく「人生の意義」という観点から捉える人もいますが、ＶＩＡ分類では両者は密接に関連していると考えています。

ＶＩＡ分類の中では、スピリチュアリティとは、宇宙における自分の位置づけや目的、そして生きる意味について、首尾一貫した信念を持つことです。このような信念を持つことで、自分を取り巻く世界との関係や、人間としての自分や、人間関係を形成していきます。スピリチュアリティは、この世での自分の行動様式との関連が特に強くなっています。それは、日常の経験に応用され、私たちの行動に影響を与え、最終的に意味があるのは何なのか決めていく上で影響を及ぼします。このようなスピリチュアルな信念から、個人的な安らぎが生まれる傾向があります。

スピリチュアリティが信仰心に集中している人の場合にも、研究者がスピリチュアリティと信仰心を線引きすることが多くなっています。研究者は、スピリチュアリティとは、人間と超越的存在（例えば、神・崇高なる力・自然・生命力、すべての生きとし生けるものなど）との間の個人的で親密な関係だけでなく、その関係から生じる様々な徳を指すものであると指摘しています。スピリチュアリティは、熟考や瞑想、祈り、自然との親交などを通して実践するものです。

この世での自分の立ち位置について様々な信念や感情を持つことも関わってきます。「信仰心」は、もっと神への崇拝に関連する信念や儀式との関係の方が強くなっています。公私の場で礼拝に参加したり、儀式・慣習・朗読に参加したりすることで実践していくもので、前述のようなスピリチュアリティの実践が含まれることもあります。**信仰心がなくてもスピリチュアリティを高**

めることはできますし、信仰心があってもスピリチュアリティは高くないということも珍しくありません。

スピリチュアリティを十分に発揮すると、心が受容的で開放的になり、善を追求する中で様々な徳を常に表現し、自分の中核の部分を使って超越的な存在と繋がれるだけでなく、すべての人間と繋がり、感謝できるのです。

スピリチュアリティが大切な理由　WHAT　WHY　HOW

スピリチュアリティという強みがもたらす効果に関する研究成果には、以下のようなものがあります。

・スピリチュアリティを発揮して、信仰心や生きる意味を表現することによって、地に足の着いた感覚が得られて、楽観性が高まり、人生の目的意識が培われます。これが全面的な幸福度の感覚に貢献してくれます。
・スピリチュアリティの強みを持つ人は、身体的、心理的健康への効果を感じ、困難に直面してもレジリエンス（回復力）を発揮して、心が折れることなく柔軟に対応していきます。
・自分をスピリチュアリティが高いと見なしている若者は、自律心が高く、学業成績が優秀で、世界を秩序ある場所と捉える傾向があります。
・スピリチュアリティを発揮すると、危険な行動やルール違反を破る行動から距離を置けます。

・家族生活にスピリチュアリティの強みがあると、夫婦喧嘩が減り、伴侶に支えてもらっているという実感が強まり、育児が安定し、親子が支え合うようになる傾向があります。

・**スピリチュアリティは、「慎み深さ」「寛容さ」「感謝」「親切心」「希望」「愛情」「熱意」などの、多くの性格の強みと結びついています。思いやりや利他主義、ボランティア精神などの特定の行動とも繋がっています。**

スピリチュアリティを強化する方法 WHAT WHY HOW

振り返ろう

スピリチュアリティという強みについて振り返りながら、以下の質問に答えてみましょう。

・スピリチュアリティや生きる意味という感覚は、自分の人生の中のどのような面（人間関係や健康、達成、地域参加など）でポジティブな役割を果たしていますか？

・自分にとってのスピリチュアリティの意味とは？

・宗教的に様々なことを実践したりしなかったりすることと、スピリチュアリティにはどんな関係がありますか？

・スピリチュアリティは人間関係にどのような影響を与えていますか？

・人生の辛いときに、スピリチュアリティはどんな役割を果たしてきましたか？

・スピリチュアリティの境地に達するために、すべての人に共通する何か正しい方法があると思いますか？　それとも、それぞれ独自の方法を探すものだと思っていますか？
・スピリチュアリティを信じたり、それを実践したりすることで、人間関係や仕事といったような状況で、問題が生じてしまうことはありますか？

強み探し

24歳のソーシャルワーカー、ジェイコブ・Lさんの例を見てみましょう。

計画に従って動くのは大事なことです。私は人生に秩序を求めています。私は正統派のユダヤ教徒で、昔から宗教に従って生きることで秩序が生まれてきました。神の近くにいることに安らぎを覚えてきました。

私の信仰心とスピリチュアリティの間には、興味深い力が働いていますが、私にとっては、両者は別物です。宗教ではコミュニティの一員ですが、スピリチュアリティには個人的な側面があります。自分と創造主である神との個人的な繋がりを求めながら、同じような繋がりを求める人との社会的な絆を育てるだけでなく、そんな世界で、どうやって暮らしていくのか？　どうやって両者の折り合いをつけていくのか？「スピリチュアルだけど宗教的ではない」と思ってしまう現代人が多いのは、それが難しいからなのかもしれません。

私は宗教そのものにスピリチュアリティをたくさん見出しています。宗教を介して地域社会の一員となって絆が生まれると、素晴らしい瞬間を色々経験することができますね。自然と1人でいたいと思ってしまうことの多い私は、宗教に興味を持つことで、社会と繋がっていけるのだと思います。ユダヤ教は特にコミュニティの要素が強い宗教です。

私は元々とても内向的で、個人的にはとてもスピリチュアルなのですが、宗教のおかげでそんな私でも外向的になれています。色々な意味で人生が豊かになりました。宗教のおかげで自分の殻を破ることができたのです。

もう1つは、聖典との繋がりです。聖典を読んで熟考するのは、スピリチュアリティと密接な関係があると思います。聖典にはスピリチュアリティの面で充実感をもたらしてくれる深みがあります。私は宗教系の学校に通うのは好きではありませんでしたが、聖典の物語を読んでいると、何かが解き放たれて、深く、スピリチュアルで、意義深いものが見えてきて、自分にとって大事な経験でした。そこから目的が見えてきました。

行動しよう

人間関係

・一番親密な人との関係は、どんなふうに尊いものですか？　本人とこの質問について話し合ってみましょう。

・親密な人と一緒にスピリチュアルな体験をしてみましょう。瞑想したり、熟考したり、祈ったり、儀式をしたりしてみましょう。

・人生の重要な出来事や節目に、自分らしいスピリチュアルなお祝いをしてみましょう。厳かな祝賀会を企画して、子どもの誕生日や入学や卒業などの節目を祝ったり毎年の結婚記念日に誓いを立て直したりしてみましょう。

職場

・生命の尊さを思い起こさせたり、自分のスピリチュアリティや信仰心を象徴したりするようなオブジェを机の上に置きましょう。定期的にそのオブジェを眺めてみましょう。目を閉じ、マインドフルネス呼吸法（呼吸に意識を向ける呼吸法）を実践しましょう。祈りを捧げたり、マントラを唱えたり、瞑想したりしてみましょう。自分にとって一番大事なことについてただ熟考するだけでもよいでしょう。

・仕事に意味を見出しましょう。自分の仕事で一番大切なことは何か、それが人にどんな影響を与えるのか、考えてみましょう。手を止めて、それに感謝しましょう。

コミュニティ

・自分のコミュニティにいるスピリチュアリティの手本となる人について考えてみましょう。相手の信念と自分の信念に大きな違いがあったとしても、相手の最高の資質について考えてみましょう。その資質から学んでいく方法を1つ考えてみましょう。

・自分のコミュニティにある神聖な空間を探してみましょう。宗教的な礼拝の場でも、公園の中の美しい場所でも構いません。地元のショッピングモールの人混みから何か自分のコミュニティについて意義深いことが見つかるかもしれません。そのような空間で時間を過ごし、その空間を改善する方法を見つけ、他の人を巻き込んでいきましょう。

自分自身

・手を止め、自分の内にある尊いもの、自分の内なる精神と繋がりましょう。終日、自分の中に存在するこの静寂に立ち戻りましょう。深呼吸して、自分を受け入れましょう。

バランスを取ろう

スピリチュアリティが発揮できていない場合

他の性格の強みと同様に、スピリチュアリティにも様々な次元があります。生きる意味や目的、命の繋がりについて信念を持ったり、善の美徳に従って生きたり、大いなる存在を信仰したり、宗教的な信条を持ったり、宗教上のしきたりを実践したりしていくことなどです。

生活の中でこういったものを全く意識してしない人は、スピリチュアリティが発揮できていないと言えます。目的を見失って、人生に意味を見出せないと思ってしまう人、宗教に裏切られたと感じたり、失望したと感じたりする人、超越性のような抽象的な概念と繋がることに興味がないだけという人もいるかもしれません。

無神論や不可知論は、スピリチュアリティが発揮できていないこととは違います。無神論者が生活の中で神聖なものとの繋がりを感じたり、人生での出来事に大きな意味があることに気づいたり、スピリチュアルな要素のある儀式に参加したりするのは、珍しいことではありません。宇宙の規則性、運命の神秘、人間の本質についての普遍的な真理や数学の美といったようなものに、深い意味を見出す可能性もあるのです。

毎日、宗教的な礼拝に出席したり儀式に参加したりするような敬虔な人でも、ただ何となく参加したり、日常生活で意図的に美徳を実践していなかったりすると、スピリチュアリティが発揮できなくなってしまうことがあります。毎週日曜日に教会の礼拝に出席しているのに、駐車場で割り込んだり、歩くのが遅い人を罵《ののし》ったり、夫婦同士で怒鳴り合ったりしている姿を見かけることがよくあります。そのような人たちが、他の強みとともに、スピリチュアリティを発揮できていないのは一目瞭然です。

無頓着な生活を送ってただ何となく日課をこなすだけになってしまっているような場合にも、スピリチュアリティが発揮できていません。身の周りにある人生の意味や深みに気づかないことが多くなっているように見えます。どんな瞬間や日課の中にも、命の尊さがあることに気づかされたときには目が覚めることも多いのです。

スピリチュアリティの出し過ぎ

スピリチュアリティや信仰心を過剰に表現してしまうと、ちょっとした迷惑行為になってしまったり、激しく邪魔者扱いされてしまったりすることがあります。

スピリチュアリティという強みを乱用してしまう人は、通常、自分では寛大で有益な形で使えていると思い込んでしまっています。しかし、説教がましく、見当違いで、根拠がなく、独善的で、心が狭いと思われてしまうことが多いのです。

極端な場合、スピリチュアリティが狂信主義と化してしまい、人にスピリチュアリティを強要する傾向に陥ってしまいかねません。そうなると、怒りを買ってしまって、相手のイライラが収まらなくなってしまうことがあるのです。人間関係が続かなくなり、スピリチュアリティという強みを使い過ぎている人が疎んじられ、避けられてしまうことになりかねません。

信仰心やスピリチュアリティを色々発揮していく際に批判的思考力や知的柔軟性を使えないと、スピリチュアリティが過剰になってしまうことがあります。スピリチュアリティが十分に発揮されているときは、1人の人間や宗教に最終的な真理があるわけではないと認識するようになる傾向があります。そのように認識できるようになると、多くの宗教で重要視されている謙虚さという強みを発揮していることになります。

また、人生の意味を追求し過ぎてしまうこともあります。**人生の意味を追い求め過ぎてしまって、自分の人間関係や自分が人に負っている責任を見失ってしまう人がいるのです。**四六時中、神秘的で、超越的で、意義深い経験を期待してしまっていることもあります。そのような期待が現実のものにならないと、がっかりしたり、生きる意味を見出せずにすねた態度を取ることになりかねません。

34歳の書店員のイザベル・Aさんの例を見てみましょう。

私は信心深い家庭で育ちました。父が聖職者だったのです。家族で週に2、3回は礼拝に行き、家庭では毎日儀式をしていました。問題や葛藤はもとより、喜びや悲しみに至るまで、ありとあらゆることを聖典に従って決めていましたね。自分の宗教を人に伝えて、同じ道を辿るように相手を説得しなさいと言われました。地元でそんなふうに行動していたのは、かなり幼い頃でした。質問してくる子も少しいましたが、周りの子どもたちには変な目で見られたり、無視されたりしたのを覚えています。

成長するにつれて、自分のコミュニティの外の人たちと出会うようになりましたが、私とは考え方が違う人がほとんどでしたね。私は、「この宗教の教えに従って生きれば、満たされて、問題は全て解決する」と教わってきましたが、自分に正直になってみると、そうではないことがわかりました。それだけでは足りないことがわかったのです。「足りないなんて口にしてはいけない」と言われましたが、足りないものは足りません。

人が信仰心やスピリチュアリティをどうやって表現しているのか、注目するようになりました。自分のそれまでの信念を疑問視するようになって、今では他の教えを実践するようにしています。幼い頃からの信念を全て否定しているわけではありませんが、成熟して自分なりにスピリチュアリティの強みを活かして、物事を俯瞰できるようになっています。人の意見を受け入れられるようになったと思います。もっと思いやりを持ってみんなに接することができるようになったのです。

スピリチュアリティの最適な使い方：黄金律

スピリチュアリティのモットー

スピリチュアルな感覚をもち、自分の人生の目的や意味を信じています。宇宙の壮大な枠組みの中の自分の立ち位置を理解し、日常生活の中に意味を見出しています

想像してみよう

今現在、自分に信仰心やスピリチュアリティがあってもなくても、人生でスピリチュアリティという強みを意識的に育てようとする自分の姿を想像してみてください。超越性を追求したり活用したりするには多くの方法があります。毎日の生活や人間関係の中で意義を探し求めたり経験したりしていくことは特に大切で、あなたはその旅を支えてくれる信念、生と死という壮大な枠組みの中に人や自分を組み込んでいくのを支えてくれる信念を持っています。

自分が人生のあらゆる神聖な瞬間に注目している姿を想像してみましょう。瞑想、ヨガ、祈り、スピリチュアリティ関係の読書をしたり、ただ熟考をしたりして、より深く、自分の中の神聖なものや、大切な人との絆を強めたり、すべての生命を繋げる「大いなる存在」との絆を強めたりしようとしています。

「感謝」「希望」「熱意」「愛情」「親切心」などの24の強みをすべて使っている姿を想像してみましょう。そして性格の強みをすべて発揮することで、どのように世界の大義に貢献していくことができるか考えてみましょう。

▽第2章まとめ

第2章では、自分の性格の強みを理解するための様々な方法を紹介してきました。

性格の強みを伸ばすのは、自転車に乗れるようになるのとは違います。自転車の場合には、一度乗れるようになったら学習は終わりですが、**性格の強みを伸ばすのは継続的な旅なのです。**学習し、挑戦し、実験し、議論しながら、あなたの強みと向き合ってみてください。愛する人との激しい口論に対処することから、仕事のプロジェクトに粘り強く取り組むことや、地域の公園の清掃を手伝うことに至るまで、人生の様々な状況で、意識を高めて力強く自分の強みを発揮していきます。歯磨きといったような日常から、山並みの大パノラマのような感動的な場面に至るまで、様々なところで自分の性格の強みを発揮していきます。旧友とコーヒーを飲むといったようなポジティブな経験から、家族に先立たれるといったような困難な経験に至るまで、人生の様々な場面で性格の強みが力になってくれるのです。

人生のどんな瞬間でも常に、性格の強みは存在し使うことができるのです。この言葉を読んでいるまさに今この瞬間にも、強みはそこにあり、これから人生で次に起こす行動を考えるときも、存在しているのです。

性格の強みに関するリソースがたくさん利用可能になっています。性格の強みを伸ばす旅の支えとなってくれるもので、いずれも本書を補完してくれるものです。

まず、時間を取って、VIA Institute のウェブサイト www.viacharacter.org でタブをすべて確認してみるのが何よりお勧めです。自分の強みを評価や再評価するためのVIA調査が受けられるだけではなく、性格の強みに関するビデオや記事、戦略方法が利用できるようになっています。ライブやオンデマンドのコースや個人向けのレポートがありますが、これは性格の強みを自分に照らし合わせて理解を深めることで、どんどん実践していけるようにするためのものです。

では、第3章「ストレングスビルダー」に移りましょう。ストレングスビルダーとは、研究に裏打ちされた簡単に実践できる性格の強み養成プログラムのことです。この4つのステップで構成されたプログラムに取り組むことで、知識と実践のレベルが高まって、現状を変えてより充実した人生へと導いてくれるでしょう。

第3章

ストレングスビルダー
（強み養成プログラム）

性格の強みを活かして幸せになる4ステップのプログラム

第1章では、性格の強みのVIA分類について解説し、第2章では、それぞれの特性の強みの詳細を見てきました。第3章では、研究に基づいた「ストレングスビルダー」を紹介します。

ストレングスビルダーは、強みを次のレベルに引き上げるための実践的なエクササイズに役立ちます。

ストレングスビルダーは、最新科学に基づいて自分の性格の強みを成長させ育む方法です。第1章と第2章で紹介した性格の強みやコンセプト、実践、研究を、毎日継続できる形で実践していくのに役立ちます。第1章と第2章は、性格の強みをわかりやすく説明して、使えるものを取捨選択してもらうもの。それに対して第3章のストレングスビルダーは、**自分の性格の強みを体系的に評価し発展させていくことを目標にしています。**

ここでの目標は、強みを使ってもっと充実した人生が送れるようにしていくことです。チャンスを最大限に活かし、逆境から学んだり、逆境に対処したりする中で、最高の状態で充実した人生を歩んでいけるようにします。**つまり、困難な状況でもレジリエンス（適応能力）を発揮して対処しながら、チャンスを生み出してポジティブな経験ができるようにしていくことになります。**

そのために、4ステップのプログラムを実践することで、性格の強みという自分の中の内なる資質を最大限に発揮していけるのです。

このようなエクササイズは、これまでに世界中の何千人もの人々と様々な形で共有してきたものです。ワークショップや講義に参加したり、遠隔コースに参加したり、個人向けのワークに参加した人たちから、高評価を受けています。性格の強みに関連したエクササイズを実践した人たちに素晴らしい効果があるのを、私たちは目の当たりにしてきました。

セルフケアを育む

ストレングスビルダーは、新しいセルフケアの形で、性格の強みが自身を支える糧になる道筋を示してくれます。ですから、ストレングスビルダーを使って自分の強みに取り組むことは、健康な食事や質の高い睡眠、定期的な運動といったような他の健康の要因と同じくらい、幸福度にとって大切なものだと考えています。

このような強みを発揮することで、身体的、精神的、感情的、社会的、スピリチュアル的にプラスの影響があり、個人の幸福度が高まります。幸福度が高まると、すぐに社会に広まって、周囲の人にも良い影響を与えるようになります。

強みのエクササイズ

各ステップには中心となる活動があります。強みを使って更に充実した人生を送るには、何より自分で実践していくことが大切です。長所を完璧に使えるようになると言っているわけではありません。長所を効果的に思慮深く（マインドフルに）使う練習をすればするほど、より自然と使えるようになるということです。

強みの実践は、ギターやピアノの練習、バスケットボールやサッカーの練習、ヨガや瞑想の実践、毎日の運動といったようなものと同じです。4ステップのエクササイズを継続的に実践していくことで、**成功への道を着実に歩んでいくだけでなく、長期的に持続可能な生き方を身につけていくことにもなります。**ストレングスビルダーの4つのステップに沿って、週に1つのステップを実践していきましょう。自分の性格の強みを新たに発見・探究し、刺激的な新しい方法で使い、強みの実践方法を生み出していくのです。その4つのステップとは以下の通りです。

STEP1．人の強みを認識して評価する
STEP2．特徴的強みの探究と活用
STEP3．自分の強みを人生の難題に活用する
STEP4．強みを習慣にする

進捗状況の確認

各ステップでは、トピックに関する自分の気づきや体験を探究するスペースを設けてあります。説明、例題、最初の課題が終わったら、各ステップの最後には1ページのトラッキングシートを設けてあります。これは、日々の強みの活用を記録するためのスペースです。電子書籍で読んでいる場合には、リーダーのノート機能を使用するか、外部のメモ装置を使用して情報を書き留めておきましょう。

各セクションでは、そういったメモに記載したい内容の概要を説明します。ただ考えるのではなく、各ステップで考えたことを書き留めておくことを強くお勧めします。書いたことを後から見返すことができると便利でしょう。自分が書いたことを読み返すと、自分の強みについて新しい考えが色々生まれてくることもあります。

自分のペースで

各ステップは1週間で、合計4週間のプログラムで構成されていますが、自分のペースで進めてもらって構いません。自分のスケジュール・予定・エクササイズでの気づき次第で、ステップに割く時間を調整しましょう。

4つのステップを順番通り終えると効果が最大になります。しかし、ステップを進める中で気づきがあって、新しい目線で前のエクササイズに戻ったり、復習して理解を深めたりしたいと思うこともあるでしょう。**性格の強みを深めるのは旅であって目的地ではありません。**じっくり時間をかけて学び、成長し、楽しむことを忘れないようにしましょう。

仲間と一緒に

人の支えがあると、個人的に成長したり行動が変化したりしやすくなるのは間違いありません。友人、家族、同僚と一緒にストレングスビルダーを体験してみましょう。一緒に取り組むことで、責任を持って、計画し、実行していける可能性が高まります。

もちろん、一人で実行するのが性に合っているのであれば、それでも構いません。1人で実行しても効果がある人はたくさんいます。

専門家に頼ってみる

自分でストレングスビルダーを実践していると、家族や大切な人、クライアント、患者、学生、従業員の力になりたいと思うようになることが多々あります。そうやって、周りの人が性格の強みを活性化し、幸福度を高め、ストレスや人生の課題を克服するのを支援していくのは良い方法ではではあります。

しかし、重度のメンタルヘルスなどの深刻な問題に悩んでいる人の場合、精神衛生・医療・コーチングの専門家に取って代わるものはありません。そのような場合には、専門家に相談することをお勧めします。ストレングスビルダーは、専門家と話し合う際にプラスαのサポートとして威力を発揮するものです。

まずVIA調査を受けてみよう

もしVIA調査をまだ受けていない場合は、このプログラムを開始する前に、以下のサイトでVIA調査を受けてください。

www.viacharacter.org

・各ステップを進める際には、無料のVIA調査結果を手元に用意しておきましょう。
・ストレングスビルダーに取り組む際は、第2章に戻って、24の強みを支える気づきや活動を加えるようにしましょう。

それでは始めましょう。

第1週目 ステップ1 人の強みを認識して評価する

性格の強みを効果的に使うには、**まず人の強みを観察することが大切**です。このエクササイズは**「強み探し」**と呼ばれるもので、周りの人の言動の中にある強みを積極的に探し求めていきます。自分の強みよりも人の強みの方が見つけやすいと思う人が大半でしょう。

自分が観察したものを本人と共有していく体験は単純なエクササイズではありますが、それで自分も相手も元気になっていきます。強みを育む旅がスタートし勢いづいていくのです。第1週のステップ1で人の強みを探していくのはそのためなのです。

強み探しには、主に3つの利点があります。1つ目は、人の強みと、「強みの日常的な使用頻度がわかること」です。2つ目は、「強みの語彙」が増えて、見つけた強みを言葉で表現できるようになることです。3つ目は、「人の強みの価値を実感できるようになること」です。人の長所を褒めたり、人が発揮している長所を本人に伝えたりするようになり、一番大事な長所を相手がもっと意識できるようになれます。

こういった行動を通じて、大切な人との関係が改善する可能性が高まります。後のエクササイズでは、同じような認識や感謝、理解を深めるツールを、自分自身にも使っていきます。この「強みの語彙」を使いこなせるようになると、人と自分の中にある最高の資質を見極めるようになっていくのです。

それがあなたの強みを強化していくための大事な第一歩になります。強みに名前を付けて、自分を構成する客観的な要素だと思えるようになると、自分の強みについての意識が高まります。その後のステップで、強みを使って、幸せな人生を創っていけるようになっていきます。

今週の強み探しのエクササイズは2つのパートに分かれています。1つ目はテレビなどのメディアに登場する人の強みを認識すること、2つ目は、身の回りの人の強みに感謝することです。

1日目〜2日目　メディアでの強み探し

映画、テレビ、本、YouTube動画、Facebook、Twitterなど、私たちは毎日様々なメディアを見ています。自分が知らない相手の長所を探してみると、良い習慣が次第に身についていきます。性格の強みが、誰にでも、どこにでも、自分の周りの至る所にあることにすぐに気づくでしょう！

今週の1日目と2日目は、自分が今現在興味を持っていることについて考えてみましょう。今見ているテレビシリーズは？　今読んでいるフィクションやノンフィクションは？　ニュースキャスター・ゲーム番組の司会者・自分が読んでいる人気ブロガーやキャラクター（漫画やフィクション）、有名人といったような自分や家族が尊敬している人はいますか？　その中から1人選んで、24の性格の強みの中で当てはまるものを最低2つ挙げてみましょう（24の強みは本書の冒頭部分と自分の強み診断に記載されています）。

次に、自分が見つけた強みの根拠、つまり自分が選んだ人やキャラクターにその強みが備わっていると考える理由を書き出してみてください。

3日目〜7日目　強み探しと人に感謝する強み

メディアの世界で強み探しを実践することで、もっと大事なこと、つまり実生活の人間関係の強み探しができるようになります。
「良い人間関係が幸福度を高めるのに一番重要な要因である」と考えている科学者が多く、歳を取るにつれて、そのような人間関係が何より長生きに貢献しているという証拠があるほどです。相手の性格の強みを認識できることは、有意義な人間関係を作り、維持し、育んでいく上で、言葉で表せないほどの大きな力になってくれます。

今週の残りの期間は、人のポジティブな部分を観察してみましょう。家族や親密なパートナー、子ども、近所の人、上司、職場の同僚、チームメイト、他の学生、自分が属しているボランティアやグループのメンバー（SNSを含む）など、自分と交流がある人それぞれの性格の強みを探してみましょう。年配の隣人が毎朝熱心に玄関先を掃除している姿を見ると、忍耐力や熱意が見て取れます。パートナーが1日の終わりに自分の仕事ぶりを振り返っている言葉から、リーダーシップ、チームワーク、思慮深さ、忍耐力、自律心、知的柔軟性を感じ取れます。クスクス笑いながら走り寄ってきた子どもにズボンからはみだしたシャツの裾にコーヒーの染みがついているのを指摘されたら、子どもがどうやってユーモアを使って絆を結ぼうとしているのか考えます。

1日に最低1人は観察するようにしましょう。観察相手の話に耳を傾け、行動に気づき、毎日の生活にどうやって対処しているのか注目して、ポジティブな面を見つけましょう。メディアの場合と同様に、最低2つは相手の性格の強みを見つけるようにして、自分の観察を裏付ける証拠をメモしておきます。

その上で、さらに一歩進んで、その長所を相手が使ってくれたことに感謝の気持ちを伝えます。**感謝の気持ちを伝えるために、なぜその強みに感謝するのか、どうして自分にとって価値があるのか、人や自分にどんなポジティブな影響を与えているのか考えてみましょう。**相手がその強みを発揮してくれることで、鼓舞されたり、魅了されたり、絆が育まれたりするのか考えてみましょう。その強みに感謝しているのは、チームや近所、会社、教室、家族の絆が強まるからかもしれません。

感謝の表現の一例を紹介します。

「あなたには希望という強みが感じられます。あなたが、チームの進む先にあるポジティブな話を共有してくれたおかげで、ストレスの多い状況が一変しました。私はその強みをとても大切に思っています。困難な状況でも、私たちみんながもっとレジリエンスを高めていきたいと思わせてくれます。ありがとうございます。」

背中を軽く叩いたり、握手をしたりして、言葉を使わずに感謝の気持ちを伝える方法もあります。

第１週・STEP1	**性格の強み：** 観察相手は？ その人の上位の強みは？（最低２つ）	**説明：** それが強みだと思う理由・描写	**感謝：** どうやって本人にその強みに感謝していることを伝える？
１日目： 映画・番組・本			
2日目： 映画・番組・本			
3日目：人			
4日目：人			
5日目：人			
6日目：人			
7日目：人			

第2週目 ステップ2

特徴的強みの探究と活用

無料のVIA診断結果を詳しく見てみましょう。この自分だけのリストには、24の性格の強みが最上位のものから最下位のものまで掲載されています。自分の結果を吟味するにはたくさんの方法があります。強みを3つのカテゴリーに分類してみましょう。

1．特徴的な強み

自分の最高の強みで、**「活力」「簡単」「肝心」の「3K」**が特徴です。自分の署名サインが唯一無二であるように、特徴的な強みも自分独自のもので、アイデンティティの核になっています。特徴的な強みの数には個人差があります。一般的には上位5つとされていますが、実際には4つから7つまで様々です。

2．下位の強み

下位5つの強みです。これは弱点ではありません。恐らく他の強みほど発揮できていなかったり、意図的に注目したりできていない強みなのです。

3．中位・支援的な強み（状況的な強み）

診断表の中位にある残りの14程度の強みになります。他の強みを支える働きをするものです。

下位の強みが気になり、それについて時間を割きたくなってしまうのは普通のことでしょう。大切なのは、VIA調査が強みを測定するものだということです。スコアが低い強みがあるということは、その強みへの依存度が低いだけで、自分に弱点があるということではありません。下位の強みは、効果的に機能している要素ではあっても、自分であまり注目していなかったり、今生きていく上で他の強みほど大事ではないものと捉えることができます。

自分の中の下位の強みを吟味して、強化すべきかどうか検討してもらっても構いません。しかし、研究によると、**上位の特徴的性格の強みを理解し、感謝し、表現する方に時間を費やすと、最大限の利益が得られるようになります。**実際に、最近の研究では、特徴的な強みをもっと使うようにすると幸福度が高まり、成功に近づき、鬱が減ることがわかっています。ステップ2では、特徴的な強みに焦点を当てていきます。

自分の強みを掘り下げる準備はできましたか？　数分かけて、自分の強みを理解し、じっくりと考えてみましょう。第2章に書いてある自分の上位の強みを読み直してみてください。自分と自分の強みとの繋がりについて考えてみましょう。それぞれの強みが自分の日常生活の中でどんなふうに発揮されているのか考えてみましょう。その強みを使うことで「活力」は得られますか？

「簡単」に使えますか？　自分にとってどのくらい「肝心」なものになっていますか？　忘れずにこの「3K」について自分に問いかけるようにしましょう。

それぞれの強みを探るために3つの質問を用意してあります。

1つ目の質問を通して、自分の最高の強みが自分の特徴になっていることを理解していきます。それがわかれば、自分が誰であるかを、確認し、認め、感謝し、積極的に受け入れていけます。

2つ目の質問で、自分の強みを価値観、人間関係、人生の目的、個人的な目標と結びつけていきます。

3つ目の質問では、強みが必ずしもポジティブな結果に繋がるわけではないということを理解していきます。どんなに良いものでも、行き過ぎると台無しになってしまうことがあるのです。強みの潜在的な代価についてよく考えることで、使い過ぎてしまいそうな状況が理解できます。

自分の上位5つの強みについて質問に答えるためのスペースを設けてあります。診断表の上の方にある他の強みについても同じ質問に答えみましょう。このような探究は、自分の最高の資質への認識、洞察、評価を深めるのに有益です。

1位の性格の強み

この性格の強みは自分らしさをどんなふうに表現していますか？　どんな点で自分のことを正しく表現していると思いますか？

この強みは自分にとってどんなふうに価値あるものになっていますか？　この強みが自分にとって大事なのはどうしてですか？

この強みを使ってしまうことで失われるものはありますか？　どんな点で役に立たないことがありますか？

2位の性格の強み

この性格の強みは自分らしさをどんなふうに表現していますか？　どんな点で自分のことを正しく表現していると思いますか？

この強みは自分にとってどんなふうに価値あるものになっていますか？　この強みが自分にとって大事なのはどうしてですか？

この強みを使ってしまうことで失われるものはありますか？　どんな点で役に立たないことがありますか？

3位の性格の強み

この性格の強みは自分らしさをどんなふうに表現していますか？　どんな点で自分のことを正しく表現していると思いますか？

この強みは自分にとってどんなふうに価値あるものになっていますか？　この強みが自分にとって大事なのはどうしてですか？

この強みを使ってしまうことで失われるものはありますか？　どんな点で役に立たないことがありますか？

4位の性格の強み

この性格の強みは自分らしさをどんなふうに表現していますか？　どんな点で自分のことを正しく表現していると思いますか？

この強みは自分にとってどんなふうに価値あるものになっていますか？　この強みが自分にとって大事なのはどうしてですか？

この強みを使ってしまうことで失われるものはありますか？　どんな点で役に立たないことがありますか？

5位の性格の強み

この性格の強みは自分らしさをどんなふうに表現していますか？　どんな点で自分のことを正しく表現していると思いますか？

この強みは自分にとってどんなふうに価値あるものになっていますか？　この強みが自分にとって大事なのはどうしてですか？

この強みを使ってしまうことで失われるものはありますか？　どんな点で役に立たないことがありますか？

さぁ、レベルアップの時です！　性格の強みを「使う」ことこそが幸福度を高めるためには本当に重要だということが、研究で繰り返し示されています。自分の性格の強みを活用することで、最大の効果を得て、幸せになり、周りで起こっていることに積極的に関与していくようになります。

頭で考えているだけではなく、行動に移しましょう！

では、どうやって行動を起こせばいいのでしょうか？　多くの研究で、行動を起こすには、**毎日の強みの使い方を変えてみるのが有益だとわかっています。つまり、自分の強みの使い方を膨らませていくことが重要なのです。**例えば、家族に親切にするのには慣れていても、同僚に親切にするのは初めてのことかもしれません。新しい食べ物を試してみたい、行ったことのない場所へ旅してみたいという好奇心はあっても、生活の中で人に質問をするときには活かし切れていないかもしれません。自分の特徴的な強みの新しい使い方は、事実上無限大なのです。

1日目〜2日目　特徴的な強みの使い方を振り返ろう

これまでの質問に答えて、自分の特徴的な強みについての理解が深まったら、はじめの2日間は、これまでの自分の特徴的な強みの使い方を振り返ってみましょう。

特徴的な強みを使って状況が改善したことがここ数週間であったら、それについて考えてみましょう。朝の日課でユーモアを使っておかしな行動をしたことで一日が明るくなった。チームの会議で社会的知性を発揮して貢献することができた。そんなふうに、自分の強みがどうやって人や自分に役立ったのか考えるのを忘れないようにしてください。人との絆が深まったり、気分が前向きになったり、周りの人の集中力が高まったりするようなことがあったかもれません。

3日目〜7日目　特徴的な強みを新しい方法で使う

今週の残りの日々は、自分の強みの1つを新しい方法で活かしてみましょう。些細なものでも構いません。

自分の強みの1つを普段どうやって日常生活の中で使っているのか考えてみましょう。それを膨らませて今まで使ったことのない状況で発揮したり、新しい人に使ったりできないか、さらにはその強みを使って他の強みを高められないか考えてみましょう。

例えば、忍耐力が不足していると感じたら、社会的知性を使って、誰かを説得して自分がプロジェクトを頑張り抜くのを支えてもらうようにします。希望の強みを活かして、自分に活力を与えて頑張り抜けるようにしていくこともできます。

同じ強みの違う側面を使ってみる方法もあります（性格の強みの定義についてよく考えて吟味して、新しいアイデアのヒントにしてみましょう）。

例えば、親切心の中で「優しくて親しみやすい」という部分を発揮する傾向がある人であれば、寛大な心や思いやりの心で接したり、褒めたりすることで、親切心を発揮する方法を考えてみましょう。また、ユーモアが強みになっている場合、新しい環境や新しい人（例えば、食料品店のレジ係など）に面白いものを見出すことで、ユーモアの使い方を広げたり、ユーモアの別の側面の使い方について考えたりすることもできます。例えば、今までユーモアを使って緊張した状況を和ませたり、ユーモアを使って内気な人にリラックスしてもらったりしたことがなければ、試してみる価値はあるでしょう。

このエクササイズでは、1週間を通して同じ特徴的な強みに注目する人が多いのですが、強みを変えて、新しい気づきが得られるようにしてもらっても構いません。

第２週・STEP2	**特徴的な強み：** 焦点を当てている強みは？	**説明：** その状況で特徴的な強みをどうやって使ったか？	**効果：** その強みを使うことで人や自分が得た効果は？
１日目：以前の使い方を振り返る			
2日目：以前の使い方を振り返る			
3日目：新しい使い方をする			
4日目：新しい使い方をする			
5日目：新しい使い方をする			
6日目：新しい使い方をする			
7日目：新しい使い方をする			

第3週目 ステップ3 自分の強みを人生の難題に活用する

強みに焦点を当てようと最善を尽くしても、すぐに難題や困難、問題、葛藤に直面して心が折れてしまうことがあります。こういったものが些細なものであることもありますが、自分の問題や悪い習慣にはまってしまって身動きが取れなくなってしまうこともあるでしょう。

そんな場合、自分の最高の強みに頼ろうという発想にはなかなかなりません。しかし、**そんなときこそ特徴的な強みを活用すると、バランスを取り戻し、課題に対する新しい視点が得られることが多いのです。**

第3週は、人生の課題に対処するために、強み、特に自分の特徴的な強みを使うことに焦点を当てていきます。

現在置かれている人生の課題に取り組む前に、これまでに問題や状況にうまく対処できた経験について振り返ってみましょう。その時自覚がなかったとしても、特徴的な強みを発揮できていたのです。書き出すことで確かめてください。

うまく対処して解決することのできた問題やストレス、衝突を挙げてみましょう。先月でも一年前でもいつ起こった問題でも構いませんし、大きな問題でも小さな問題でも構いません。大切なのは、自分で完全に解決し、克服できたものです。それをここに書き出してみましょう。

うまく対応して解決できた問題を挙げてみましょう。

その当時のことを振り返ってみましょう。どんな性格の強みを使って問題に対処したり、解決したりしましたか？　最後まで頑張って問題に対処していくのに役立ったのは、自分の中にあるどんな強みでしたか？　答える前に、自分の診断表にある24の性格の強みとその定義をじっくり見直してみるのもおすすめです。主にどんな強みをどんな方法で活用したのか、書き出してみてください。ここでは以下に3つのスペースを設けてありますが、必要に応じて自由に追加してください。その場面で使った強みをできるだけ多く考えるようにするのがお勧めです。

1位の性格の強み：この難題に対処するとき、この強みをどう使いましたか？

2位の性格の強み：この難題に対処するとき、この強みをどう使いましたか？

3位の性格の強み：この難題に対処するとき、この強みをどう使いましたか？

繰り返しになりますが、今週は2つの活動に集中します。今週の大半は、自分の強みを使って、一日の中での困難やイライラ、葛藤に対処していきます。そして週の終わりには、自分の強みを使って人に利益をもたらすことに焦点を当てていきましょう。

1日目〜5日目　難題に強みを使おう

誰でも毎日様々な悩みや緊張を経験しています。夕食の摂り過ぎや皿洗い、迷惑な同僚との会話、楽器の習得、渋滞での運転、配偶者との口論、退屈な気持ちといったような、日常的な課題や悩みについて考えてみましょう。何も思いつかない場合には、どんなときにフラストレーションや動揺、イライラ、失望、緊張、罪悪感、悲しみといったような感情が生まれてきやすいか考えてみましょう。そういった感情がエクササイズで扱う状況と繋がっている可能性が高いからです。

次のステップでは、自分の特徴的な強みを使ってどうやってその課題を対処していくか考えてみましょう。自分の強みを使って行動を起こすようにすると、その経験を活性化させて、問題がより扱いやすくなり、楽しささえ感じられるようになるかもしれないのです。

6日目〜7日目　人のためになるように自分の強みを使おう

強みは自分にとって有益なだけでなく、人のためにも役立ちます。

週の後半も日々強みを使って課題に取り組んでいきますが、最後の2日間はどうすれば自分の強みを活かして問題を抱えている人の力になれるのか考えてみましょう。問題を抱えている人やグループについて考えてみてください。自分の強みを活かすことで、その人たちがもっと効果的に課題に取り組んでいく力になれないか考えてみましょう。

このエクササイズで自分の殻を破って人助けをしようとすると、ストレスやプレッシャーが高まり、この先どうなるのかますますわからなくなるかもしれません。しかし、そんな緊張感だけでなく、人の力になることで自然と生まれるポジティブな感情や感覚にも気づけるでしょう。

第３週・STEP3	**状況：** 強みを使っているのはどんな状況？	**性格の強み：** 使った強みはどれ？	**説明：** 強みを使った対処法と人助け法	**効果・結果：** **自分や人に何が起こった？**
１日目： 強みで自分の問題に対処				自分へ
2日目： 強みで自分の問題に対処				自分へ
3日目： 強みで自分の問題に対処				自分へ
4日目： 強みで自分の問題に対処				自分へ
5日目： 強みで自分の問題に対処				自分へ
6日目： 強みで人助け				人へ
7日目： 強みで人助け				人へ

第4週目 ステップ4 強みを習慣にする

第4週目では、まず最初にこれまでの進捗状況を確認しましょう。自分の診断結果と過去3週間の自分の気づきの両方を振り返り、自分の気づきと変化を評価してみましょう。

これまでの3週間で、人と自分の強みを見つけて評価する能力や、自身の強みを見極める能力、良い状況と困難な状況の両方で強みを活用する能力が高まりました。強みの使い方を習慣にしていく準備が整った可能性が十分にあります。

この3週間の中で、最も印象的だったことは何ですか？　一番強化したいことや変えたいことは何ですか？　自分の強みの理解や活用方法の改善点を含めて目標のリストを作ってみましょう。遠慮せずにどんどんブレインストーミングをするようにしてください。浮かんできたものの良し悪しを判断する必要はありません。自分の24の性格の強みについて全部考えてみましょう。

以下にいくつか例示しておきます。

・**強みを使う頻度を高める**という目標が見えてくるかもしれません。例えば、スナックが食べたくなったら、自律心を使って、賢い食事の選択をしていくことを目標にします。

・**強みの使い方を変えてみる**という目標が見えてくるかもしれません。例えば、ユーモアを使ってパートナーとの問題に対処しようとしたことや、寛大さを発揮してスーパーでのイライラを減らそうとしたことがなければ、それを実行してみます。

・**複数の強みを組み合わせて使ってみる**という目標が見えてくるかもしれません。例えば、自分がリーダーシップを発揮している仕事で反対意見を言うときに、思慮深さを発揮してあまり強く反応しないほうが有益だと判断するかもしれません。

・揉め事が起こっているときにユーモアを発揮し過ぎてしまっていたり、寛容さを発揮し過ぎてしまって自分の地位が損なわれていたりすると判断したら、ユーモアや寛容さなどの**強みの使用頻度を下げる**のが目標になります。

自分の健康や人間関係、スピリチュアリティ、人生の意味といったような、人生の様々な領域について考えてみましょう。ブレインストーミングをして目標を設定する場合には、「私が実践したいことは……」という出だしに続く内容を考えてみましょう。

私が実践したいことは……

ゴールや目標を設定したら、研究者が「**実行意図**（ある目標を達成するための行動をいつ、どこで、どのようにとるかを予め決めているもの）」と呼んでいるテクニックを使って、目標に到達できるようにしていきます。

これには目標達成の機会と障害の両方を予想する必要があります。「目標達成の助けになることや邪魔になることが起こるだろうか？」と自分に問いかけます。計画を実行した場合に良いことや悪いことが起こっても、きちんと対処できるようにしておくこと、「こんなことに直面したら、こんなことをする」ということを事前に決めておくことが大切です。例えば、創造性をもっと発揮できるようになる目標を持っていたら、同僚に拒否されて創造性が発揮できなくなってしまった場合の対処法を予め考えておきます。

・創造性を発揮させてもらえずに動揺してしまったら、「誠実さを発揮して本当の自分を表現するのは良いことだ」と自分に言い聞かせるようにします。

職場の新しいプロジェクトが立ち上がると知って、今までと違う形で自分の創造性を発揮できるかもしれない！　と思った場合の実行意図は、こんな感じになるかもしれません。

・プロジェクトが立ち上がっていると聞いたら、勇気を持って自分が貢献できるかどうか同僚に尋ねて、社会的知性を使って自分の主張を伝えていく。

目標達成の障害を予想して、どんな強みを使えば乗り越えていけるのか考えてみましょう。同様に、目標達成の追い風になってくれる機会も予想して、それを最大限に活かすにはどんな強みを使ったらいいのか考えておきましょう。実行意図を明確にすると、障害を乗り越えるだけでなく、機会を逃さずに活用していけるのです。

1日目〜7日目　目標達成のための強みをもとにした活動をしよう

最終週となる今週は、前週にブレインストーミングした強みを重視した目標の中から1つ選んで、焦点を当てていきます。毎日有益な活動を1つずつ行って、目標達成に向けて一歩ずつ前進していきます。例えば、家族との質の高い時間を増やすのが目標だとします。好奇心を働かせて、家族みんなに喜んでもらえる活動を見つけようとする日もあるかもしれません。愛情の強みを使って家族の話を聞いたり、家族1人1人と絆で繋がったりする日もあるかもしれません。リーダーシップを発揮して家族のために外出計画を立てる日もあるかもしれません。

毎日の活動の妨げになる障害と、目標達成の力になってくれる機会の両方を予測しておきましょう。そんな障害と機会が予想できたら、あなたの性格の強みを使ってどうやって反応するのか考えてみましょう。

今週同じ活動を何回か繰り返したくなるかもしれません。日中、実行意図のリストを持ち歩きながら目標を追求するようにしましょう。活動に取り組む際にそのリストを読み返せば、予測した障害や機会が現実のものになっても準備万端です。予想外の障害や機会に直面することになっても心配し過ぎないでください。想定外のことは絶対に起こりますが、実行意図と性格の強みについて考えておけば、想定外のことが起こったり、特殊な状況に陥ったとしても、きちんと対処していけるでしょう。

週の後半には、強みを日常生活の中で使いこなせるようになってきています。違う目標を選んだり、同じ目標を選んだり、プロセスに微調整を加えたりしながら、強みを育んでいける準備が整っていることでしょう。続けてください。強みを持続的に育み、意味を感じられる前進を続けて、目標に向かっていくのです。

自分の性格の強みの目標 今週私が達成したいのは…________________				
第４週・STEP4	**活動：** 目標のためにいつ、どこでどんな行動を取る？	**障害：** どんな障害が想定される？（１～２つ挙げる）	**チャンス：** プラスになるどんな機会が想定される？（１～２つ挙げる）	**対応：** 強みを障害や機会にどう使う？
1日目				
2日目				
3日目				
4日目				
5日目				
6日目				
7日目				

あとがき

本書であなた自身、あなたの人生、そして他の人達の人生についての新しい考え方をご紹介できたなら望外の喜びです。

私たちは人や自分の欠点や欠陥に焦点を当ててしまいがちです。性格の強みに基づいたアプローチを取り入れることで、新しい刺激的な目線で人生の難題や喜びについて考えられるようになるのです。弱点を克服することだけに焦点を当てるのではなく、**自分の長所をもっと上手く使うことで、苦難に立ち向かっていけるようになります。**

あなたには様々な強みが備わっています。その強みを強化していきましょう。そうすると、自分の強みに感謝して賛美することができます。人生で大切な人たちにポジティブな影響を与えられます。強みを使って、自分で設定した目標を達成していけます。ストレングスビルダーを活用することで、人生を豊かにする旅に出発できます。

この旅で成長し、人生の困難に立ち向かうためのレジリエンス（適応能力）を発見し、素晴らしい喜びを発見していくことを切に願っています。

性格の強みの参考文献・推薦図書

【強みに必須の書籍】

Character Strengths and Virtues: A Handbook and Classification, by Christopher Peterson and Martin Seligman (New York, NY/Washington, DC: Oxford University Press/American Psychological Association, 2004).

＊この800ページの学術書は、ＶＩＡ「性格の強みと美徳の分類」に関するオリジナルの科学的出版物です。

Character Strengths Interventions: A Field-Guide for Practitioners, by Ryan Niemiec (Boston: Hogrefe, 2018).

＊本書は、ポジティブ心理学初となるフィールドガイドです。何百もの性格の強みの研究を引用しながら、わかりやすい実用的なモデルとツールを提供しています。実践者やクライアント用の100近くの配布資料など、あらゆる援助の専門家に使用してもらえるものです。

【強みに関するトピックの書籍】

ストレス：*The Strengths-Based Workbook for Stress Relief*, by Ryan Niemiec (Oakland: New Harbinger, 2019).

マインドフルネス：*Mindfulness and Character Strengths*, by Ryan Niemiec (Boston: Hogrefe, 2014).

仕事：*Your Strengths Blueprint*, by Michelle McQuaid and Erin Lawn (Albert Park, Victoria: Michelle McQuaid, 2014).

映　画：*Positive Psychology at the Movies 2*, by Ryan Niemiec and Danny Wedding (Boston: Hogrefe, 2014).

強み全般：Character Strengths Matter, by Shannon Polly and Kathryn Britton (Charleston: Positive Psychology News LLC, 2015).

コーチング：*Authentic Strengths*, by Fatima Doman (Las Vegas: Next Century Publishing, 2016).

子育て：*The Strengths Switch*, by Lea Waters (Australia: Penguin Random House Australia, 2017).

恋愛・夫婦関係：*Happy Together*, by Suzann Pileggi and James Pawelski (New

York: Tarcherperigee, 2018).
強み全般 : *30 Days of Character Strengths*, by Jane Anderson (Strength Based Living LLC, 2018).
プロジェクトマネジメント : *Be a Project Motivator*, by Ruth Pearce (Oakland: Berrett-Koehler, 2018).

【強み別の書籍】

創造性 : *Wired to Create*, by Scott Barry Kaufman and Carolyn Gregoire (London: Vermilion, 2015).
好奇心 : *Curious?* by Todd Kashdan (New York: Harper, 2009).
知的柔軟性（批判的思考力）: *Thinking, Fast and Slow*, by Daniel Kahneman (New York: Farrar, Straus and Giroux, 2011).
向学心 : *The Power of Mindful Learning*, by Ellen Langer (Boston: Da Capo Lifelong Books, 1997).
大局観 : *Practical Wisdom*, by Barry Schwartz and Kenneth Sharpe (New York: Riverhead Books, 2011).
勇敢さ : *The Courage Quotient*, by Robert Biswas-Diener (San Francisco: Jossey-Bass, 2011); and Psychological Courage, by Daniel Putnam (Lanham, MD: University Press of America, 2004).
忍耐強さ : *Mindset*, by Carol Dweck (New York: Random House, 2006).
誠実さ : *The Gifts of Imperfection*, by Brené Brown (Minneapolis: Hazelden, 2010); and Authentic, by Stephen Joseph (London: Piatkus, 2017).
熱意 : *The Body and Positive Psychology*, by Kate Hefferon (UK: Open University Press/McGraw Hill Education, 2013).
愛情 : *Love 2.0*, by Barbara Fredrickson (New York: Hudson Street Press, 2013).
親切心 : *Self-Compassion*, by Kristin Neff (London: Hodder & Stoughton, 2011).
社会的知性 : *Social Intelligence*, by Daniel Goleman (New York: Bantam Books, 2006).
チームワーク : *Woven*, by Fiona Campbell Hunter (New Zealand: Fiona Campbell Hunter, 2017).
公平さ : *The Fairness Instinct*, by L. Sun (Amherst, NY: Prometheus Books, 2013).

リーダーシップ : *The Humanitarian Leader in Each of Us*, by Frank LaFasto and Carl Larson (Thousand Oaks, CA: Sage Publications, 2012).
寛容さ : *Beyond Revenge*, by Michael McCullough (San Francisco: Jossey-Bass, 2008).
慎み深さ（謙虚さ）: *Humility: The Quiet Virtue*, by Everett Worthington (Philadelphia: Templeton Press, 2007).
思慮深さ（慎重さ）: *Organize Your Mind, Organize Your Life*, by Paul Hammerness and Margaret Moore (Don Mills, Ontario: Harlequin, 2011).
自律心 : *Willpower*, by Roy Baumeister and John Tierney (New York: Penguin Press, 2011).
審美眼 : *Awe*, by Paul Pearsall (Deerfield Beach, FL: Health Communications, 2007).
感謝 : *Thanks!*, by Robert Emmons (Boston: Houghton Mifflin, 2007)
希望 : *Making Hope Happen*, by Shane Lopez (New York: Free Press, 2014).
ユーモア : *Humor as Survival Training for a Stressed-Out World*, by Paul McGhee (Bloomington, IN: AuthorHouse, 2010).
スピリチュアリティ : *The Gospel of Happiness*, by Christopher Kaczor (New York: Image Books, 2015).

付記

ＶＩＡ性格研究所について

ＶＩＡ 性格研究所は、オハイオ州シンシナティに拠点を構える非営利団体です。性格の強みの科学と実践を発展させることを使命にしています。2000年代初頭、ＶＩＡ研究所は、クリストファー・ピーターソンとマーティン・セリグマン率いる55人の科学者が3年間に渡ってポジティブ性格の性質に関する重要な研究などを行うのを支援し、画期的なテキスト「性格の強さと美徳－ハンドブックと分類」を完成させました。

また、このプロジェクトは、成人向けの「ＶＩＡ Inventory of Strengths」(通称「ＶＩＡ調査表」)と若者向けの「ＶＩＡ Youth Survey」という、効果的な2つの無料測定ツールの作成にも関与しています。ＶＩＡ研究所は、マニュエル・Ｄ 及びローダ・メイヤーソン財団の支援を受けてきました。

現在の中心的な活動の一例には以下のようなものがあります。

・性格の測定基準の作成と検証、個人や実践者向けの実用的なツールの開発、性格の強みの教育。
・毎年何百人もの研究者が、基礎科学および応用科学の分野で性格の強みに関するアンケートを使えるように支援。
・何千人もの研究者に性格の強みに関する基調講演やワークショップを実施。
・毎日毎分5秒ごとに世界中からアクセスのあるウェブサイトに実践的なリソースを提供。
・ビジネス・教育・テクノロジー・コーチングなどの分野の世界的なリーダーたちと提携しＶＩＡのミッションの推進に貢献。
・レポート・コース・パートナーシップから得られるＶＩＡの全収益のかなりの部分を使って、毎年、性格の科学の新しい研究を支援。

ＶＩＡ研究所のウェブサイトを是非ご覧ください。またサイト内の下記のリソースを使って、強みの旅のエネルギーにしてください：www.viacharacter. org

詳細なＶＩＡ 調査票：調査に基づいた詳細な個別の強み診断結果
ＶＩＡコース：個人および専門家向けの強み開発のオンラインクラス
ストレングスを基にした「パンダプランナー」：日々の作業や目標に強みを注入する
専門家が執筆した記事：強み・マインドフルネス・ストレス・キャリアなどについて熟読して知識を膨らませる

Special thanks to……

最後になりましたが､感謝を述べさせていただきます。この本が出版に至った過程では、実は、私の力は本当に微力で、たくさんの方からご協力を頂きました。まず、翻訳料のクラウドファンディングをシェアしたり支援してくださった、300名近くのみなさん、そのリターン中の活動をずっと支えて下さった、Ari's Academia オンラインサロンメンバーのみなさん､本当にありがとうございます。版権の交渉から出版まで手掛けてくださった、WAVE 出版編集者の大石聡子さん。急なお願いに関わらず､研究者の書いた難しい英文を、わかりやすく翻訳してくださった、鈴木健士さん。また、クラファンの準備、プロモーション、翻訳の下訳や調査を、私のオンラインサロンのメンバーがご自分の強みを活かして手伝ってくださいました。すべての方のお名前をお書きできませんが､感謝しています。(敬称略) 池田了子、石本育栄、漆間聡子、江島裕美子、オカァーナ留美、川﨑裕子、川戸裕子、工藤亜里、工藤蓉子、合戸京子、河野朋、小関美江、鹿内佳代子、清水明子、白方洋子、鈴木美穂子、伊達美喜、中野典子、楢原愛、深田礼那、道畑沙織、竹内春海、タナカアカリ、田中なな、塚本眞也、福田幸寛、和田真理　本当にありがとうございました。

松村亜里

著者【ライアン・M・ニーミック博士】

VIA研究所教育ディレクターで、強みにおける研究の第一人者。ペンシルバニア大学の年間インストラクター、ザビエル大学の非常勤教授を務める。VIA診断書やVIAの教育コースの開発に携わり、世界各地のポジティブ心理学会議で講演・研修を行う。VIAの人格としての強みの知見を臨床、カウンセリング、コーチング、コンサルティングの仕事に活用。『Mindfulness and Character Strengths』『Positive Psychology at the Movies』『Character Strengths Interventions』(いずれも未邦訳)などの書籍の著者。国際ポジティブ心理学協会のフェロー。

著者【ロバート・E・マクグラス博士】

フェアリー・ディッキンソン大学 心理学教授。VIA性格研究所の上級科学者の一人。評価と測定、統計的方法論などの専門分野で、多くの出版物がある。性格評価に関する文献への貢献に対して、性格評価学会からマーティン・メイマン賞を3回受賞。プライマリーケアで低所得者に行動医療サービスを提供する連邦政府出資のプログラム「Integrated Care for the Underserved of Northeastern New Jersey(ニュージャージー州北東部の恵まれない人々のための統合ケア)」のディレクター。

監修【松村亜里】

ニューヨークライフバランス研究所 代表
医学博士・臨床心理士・認定ポジティブ心理学プラクティショナー

母子家庭で育ち中卒で大検をとり、朝晩働いて貯金をしてニューヨーク市立大学入学。首席で卒業後、コロンビア大学大学院修士課程(臨床心理学)、秋田大学大学院医学系研究科博士課程(公衆衛生学)修了。ニューヨーク市立大学、国際教養大学でカウンセリングと心理学講義を10年以上担当し、2013年からニューヨークで始めた異文化子育て心理学講座が好評で州各地に拡大。「ニューヨークライフバランス研究所」を設立してポジティブ心理学を広めている。幸せを自分でつくり出す人を増やすために、エビデンスに基づいた理論とスキルを紹介し、実践に落とし込む講座を展開。著書に『世界に通用する子どもの育て方』『お母さんの自己肯定感を高める本』『子どもの自己効力感を高める本』(小社刊)ポジティブ心理学を人生に活かす「Ari's Academia」、ビジネスや仕事に活かす「Ari's Academia for Professionals」、二つのオンラインサロンも開催中。

訳者【鈴木健士】

千葉県生まれ。英国バース大学大学院修了。トフルゼミナール英語科講師・通訳者・翻訳者。2002年 FIFA ワールドカップや2005年愛知万博などの国際イベントの通訳・翻訳の他、宇宙航空研究開発機構(JAXA)などのウェブサイト、NHK WORLD などのテレビ番組の英訳を行うなど、「ランゲージサービスプロバイダー」として幅広い分野で活躍中。Amazon ライティング部門1位「ここで差がつく英文ライティングの技術ー英語は I ではじめるな!」著者。訳書に『オバマ勝利の演説』(中経出版)、『英語で聴く世界を変えた感動の名スピーチ(KADOKAWA)等、共著書に『TOEFL テストここで差がつく頻出英単語まるわかり』(KADOKAWA)がある。

ブックデザイン　トヨハラフミオ(As制作室)
編集協力　早草れい子　／　ＤＴＰ　システムタンク　／　編集　大石聡子(ＷＡＶＥ出版)

「24の性格」診断であなたの人生を取り戻す

強みの育て方

2021年2月20日　第1版　第1刷発行
2022年4月21日　　　　　第2刷発行

著　者　ライアン・ニーミック、ロバート・マクグラス
監　修　松村亜里
翻　訳　鈴木健士
発行所　WAVE出版
〒102-0074　東京都千代田区九段南3-9-12
TEL 03-3261-3713　FAX 03-3261-3823
振替 00100-7-366376
E-mail: info@wave-publishers.co.jp
https://www.wave-publishers.co.jp

印刷・製本 萩原印刷

NDC141 375 19cm
ISBN978-4-86621-330-9